图书在版编目(CIP)数据

100 座城市与水/郑大俊主编. —南京：河海大学出版社，2009.3

(水文化教育丛书/郑大俊，鞠平总主编)

ISBN 978-7-5630-2549-7

Ⅰ. 1… Ⅱ. 郑… Ⅲ. 城市用水—节约用水—普及读物 Ⅳ. TU991.64-49

中国版本图书馆 CIP 数据核字(2009)第 042845 号

书　　名　100 座城市与水
书　　号　ISBN 978-7-5630-2549-7/TU · 73
责任编辑　朱婵玲
特约编辑　杨　曦
责任校对　蒋乃珺　刘书含
装帧设计　南京千秋企划广告有限公司
出　　版　河海大学出版社
发　　行　江苏省新华发行集团有限公司
地　　址　南京市西康路 1 号(邮编:210098)
电　　话　(025)83737852(行政部)
　　　　　(025)83722833(发行部)
　　　　　(025)83786934(编辑部)
排　　版　南京理工大学印刷厂
印　　刷　南京工大印务有限公司
开　　本　750 毫米×1020 毫米　1/16
印　　张　13.75
字　　数　232 千字
版　　次　2009 年 7 月第 1 版
印　　次　2009 年 7 月第 1 次印刷
定　　价　680.00 元/套(共 10 册)

水文化
教育丛书

100座/城市与水

主编 郑大俊
副主编 刘兴平 钱恂熊

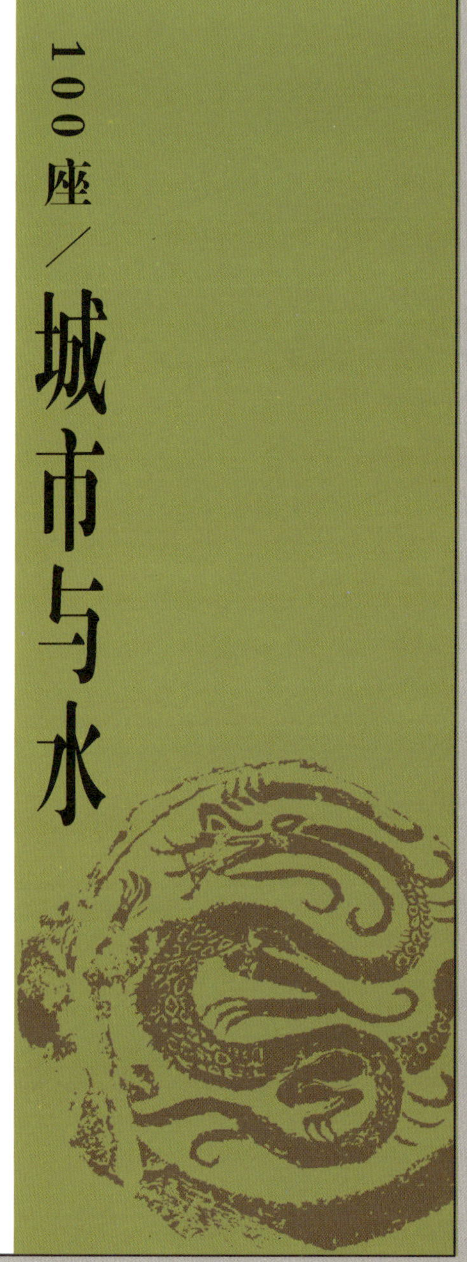

弘扬先进水文化，促进水利事业又好又快发展

——《水文化教育丛书》序言

文化是民族的血脉和灵魂，是国家发展、民族振兴的重要支撑。一个民族的文化，凝聚着这个民族对世界和生命的历史认知和现实感受，积淀着这个民族最深层的精神追求和行为准则。党的十七大把文化建设摆在更加突出的位置，对兴起社会主义文化建设新高潮、推动社会主义文化大发展大繁荣作出了全面部署。先进水文化是中华优秀文化的重要组成部分。弘扬和建设先进水文化，为水利事业又好又快发展提供文化支撑，是摆在我们面前的一个重大而紧迫的课题。

我国是一个拥有悠久治水历史的国家，在中华民族五千年文明史中，我们的祖先创造了光辉灿烂的水文化。这些文化，有的以物质形态存在，如都江堰、大运河、坎儿井等举世闻名的水利工程，以及水利工程技术、治水器械工具等物质产品；有的以

制度形态存在，如以水为载体的风俗习惯、宗教仪式、社会关系和社会组织、法律法规；有的以精神形态存在，如对水的认识、有关水的价值观念、与水相关的文化心理和文化特征等。这些璀璨的水文化，已经深深熔铸在中华民族的血脉之中，成为民族生存发展和国家繁荣振兴取之不尽、用之不竭的力量源泉。

新中国成立之后，党和国家领导人民进行了规模空前的水利建设，取得了辉煌的成就。特别是1998年特大洪水以后，水利部党组认真贯彻落实科学发展观，按照全面建设小康社会和构建社会主义和谐社会的要求，根据中央水利工作方针，认真总结经验教训，尊重基层和群众的实践创造，与时俱进地提出了可持续发展的治水思路，进行了一系列卓有成效的探索，开启了水利实践的新征程，为水文化建设注入了新的时代内涵。人与自然和谐的治水理念、以人为本的治水宗旨，扬弃了我国传统的治水文化观念，体现了科学发展观的要求；一大批水利水电工程的建设，有力地保障了经济社会发展，激发了民族自豪感，为当代和后人积累了宝贵的物质和精神财富；水利科技创新的突破，水利信息化的推进，显著提升了我国水利的科技含量和现代化水平，武装和改造了传统水利；节水防污型社会建设的深入开展，依法治水的不断推进，促进了传统治水方式和水管理制度的深刻变革；“献身、负责、求实”的水利行业精神，“万众一心、众志成城，不怕困难、顽强拼搏，坚韧不拔、敢于胜利”的伟大抗洪精神，体现了民族精神的精华，丰富了时代精神和社会主义核心价值体系的内涵。这是水文化传统与新时期水利实践相结合的丰硕成果，必将永远激励着我们不断奋斗前进。

当前和今后一个时期，是全面建设小康社会的关键时期，也是传统水利向现代水利转变的关键时期。我们要把科学发展观的根本要求与可持续发展的治水思路的探索实践结合起来，把全面建设小康社会的宏伟蓝图与水利发展的长远目标结合起来，把人民群众过上更好生活的新期待与水利工作的着力点结合起来，进一步增强水利对经济社会发展和改善民生的保障能力，不断创造无愧于时代要求的先进水文化，推动社会主义文化大发展大繁荣。要深入挖掘和弘扬传统水文化的丰富内涵，努力在继承优秀水文化传统的基础上铸造先进水文化；要善于从当今时代波澜壮阔的水利实践中汲取新鲜养分，努力展现先进水文化鲜明的时代特征和强烈的时代气息，更好地适应水利发展与改革的需要；要把培育和弘扬水利行业精神作为建设先进水文化的重要任务，努力把先进水文化更好地融入社会主义核心价值体系之中，激发广大水利干部职工投身水利实践的热情和干劲。

弘扬和建设先进水文化，要坚持研究与教育相结合、普及与提高相结合、继承与创新相结合，向全行业、全社会展示水文化研究成果，普及水文化基本知识，开展水文化宣传教育，不断推动水文化建设在服务水利发展与改革中取得新的实效。我们很高兴地看到，河海大学充分发挥学科优势和学术实力，组织了一批专家、学者，从水利名人、江河湖泊、咏水诗文、城市与水、水工程、水灾害、水用具、水景观、水传说、水歌曲等诸多方面，精心梳理、深入挖掘、全面概括千百年来人类水文化的积淀，编写了《水文化教育丛书》。这套丛书系统地介绍了优秀的传统水文化，宣传了可持续发展的治水思路，展示了水利发展与改革成就，彰显了水利精神，是水利宣传的良好平台、文化传播的优秀载体。希望以《水文化教育丛书》的出版为契机，把水文化的研究和建设推向一个新的阶段，拓宽水利视野，更新治水理念，弘扬水利精神，推进传统水利向现代水利转变。同时也希望通过广泛而深入的水文化教育，呼唤全社会进一步关注水、珍惜水、爱护水，关心水利、支持水利、参与水利，共同谱写水利发展与改革的新篇章。

陈雷

二〇〇八年三月廿八日

前　言

水是生命之源，没有水，就没有生命，当然就更不用说工业、农业，甚至社会生活、人类活动了。“生生不息”这个词与其说是形容人类的，不如说是为表达水的形态而创制的。作家恺蒂说“有水的地方才有人气”，世界上每一个文明的发源地，都是傍依江河湖泊，并依靠必要的可供水源而发展起来的。四大文明古国中，埃及的尼罗河、印度的恒河、西亚的底格里斯河和幼发拉底河，还有中国的黄河、长江，都以其甘甜的乳汁孕育了人类早期的伟大文明。

随着生产的发展，古代人们依水而居，傍水而息，逐渐形成了最初的城市。可见，城市的选址首先要以水的存在为前提。河、湖、泉、井都是城市的主要水源。城市因“得水而兴”，也会因“弃水而废”。古代丝绸路上著名楼兰古城的消失，碧水蓝天的罗布泊变为风暴肆虐的沙漠，频频出现在我国北方的沙尘暴，这些都是缺水形成的恶果。

孔子说，仁者乐山，智者乐水。王观在《卜算子·送鲍浩然之浙东》中说“山是眉峰聚，水是眼波横”。大凡城邑之水，都凝聚着城市的精华，流传着千古动人的故事，润泽着圣贤名人的心智，它以自己恒久的流淌，荡涤了城市人的灵魂，平抑了城市人的浮躁，安抚着城市人疲惫的心灵。它既是城市文化品位的标志，也是地域特色的象征。对外可骄人，对内能励志。它是一种无形的文化资源，是当地人心灵成长的精神家园。所以有“渴不饮盗泉水，热不息恶木阴”、“君子之交淡若水，小人之交甘若醴”，所以有“花自飘零水自流”、“繁华了散逐香尘，流水无情草自春”。因此，写城市和水，是一件很难的事情，如何选取城市，如何把握城市和水的关系，都是我们要面临的课题。

河，孕育文明；海，凝聚智慧。有水才会有城，有水才会有城市的文明和历史，有水才会有城市的过去和未来。正确处理江河湖海塘泉和城市发展的辩证关系，不能只顾建设，不顾生态，更不能等发展了、发达了，才去治理污染，保护水资源。如果真到了那一天，城市没有了水，抑或有水而不能饮用，不能亲近，那将是什么样子？鉴于此，我们从国内城市中挑选了省会城市和部分历史文化名城来写，从国外城市中挑选了一些世界影响力较大的著名水城来写，既希望从历史文化名城的发展中窥知水对城市发展的战略重要性，也希望通过本书为我国城市的发展提供借鉴，更希望我们的大学生朋友能够通过本书，从文化的高度了解水的真正价值，明白水的博大内涵，去“节水、爱水、护水”，确立人水和谐的理念，为国家和人类社会的可持续发展作出自己应有的贡献。

本书中的每篇文章，我们都希望能比较准确和全面地揭示所选城市与水的关系。只是由于水平有限，加之缺乏丰富的资料，并不能完全达到要求。甚至在城市的挑选上，也存在遗漏或偏颇，这些都是我们以后要改进的地方，在此真诚希望广大读者给予批评指正！

参与本书编写的人员是河海大学的郑大俊、刘兴平、钱恂熊、孔祥冬、蔡巍、张容、花良凤、郑如鑫、户加进、胡芬娟、马超、尹春华、刘倩。参与本书资料收集工作的是河海大学的白丽丽、党静圆、何宁绣、李健、李雯、高彬、马梅颖、齐萍、王朝红、吴思园、朱林。

编　者

2008年春

目　录

壹　国内城市

贰 国外城市

国内城市

1. 北京
水香四溢韵都城

北京是中华人民共和国的首都。历史上，北京城依水而建，依水而兴，算来已有 3 000 余年。商周时期就在永定河的河口之畔开始建城，水，特别是永定河的水，孕育了北京，造就了这座古老都城的文明。

北京位于海河流域中部，历史上曾经是河湖纵横、清泉四溢、稻花飘香、禽鸟翔集的一座美丽城市。北京的天然河道自西向东有五大水系：拒马河水系、永定河水系、北运河水系、潮白河水系、蓟运河水系。这些河流都发源于西北山地，乃至蒙古高原。它们在穿过崇山峻岭之后，便流向东南，蜿蜒于平原之上。其中泃河、永定河分别经蓟运河、潮白新河、永定新河入海，拒马河、北运河都汇入海河注入渤海。全市有水库近 90 座，其中大型水库有密云水库、官厅水库、怀柔水库、海子水库。

北京人是靠永定河水哺育成长的。永定河水系是海河流域七大水系之一，东邻潮白河、北运河，西邻黄河，南为大清河，北为内陆河。清洌的玉泉山诸泉，主要是永定河水通过石灰岩层渗滤而来的；城近郊区丰沛的地下水，大部分是永定河水通过地下补给的；西郊、北郊和南部郊区的大片土地是引永定河水灌溉的；就连那展现着北京城秀丽风光的河湖淀泊、什刹诸海，其实也都是古永定河道的遗存。直到今天，永定河仍然是承担北京地区工业、农业和城市生活用水的主要水源之一。

与现在北京关系最紧密的是密云水库，其源头是丰宁黄旗镇的哈拉海湾，位于北京市东北密云县境内，坐落于燕山的群峰之中，横截潮、白两河，是亚洲最大的水库，有“燕山明珠”之称。它的建成，从根本上消除了潮、白

河的水害。该水库担负着供应北京、天津及河北省部分地区工农业用水和生活用水的任务，成为首都最重要的水源。密云水库也以其山灵水秀、景象万千而吸引游人，成为京东著名的旅游风景区之一。

作为千年的都城，北京的历史文化甚为丰富，仅就古迹来看，有世界上最大的皇宫紫禁城，祭天神庙天坛，皇家花园北海，皇家园林颐和园，八达岭、慕田峪、司马台长城以及世界上最大的四合院恭王府等名胜。北京中心地带在古代曾是湖泊群，船舶云集，水系相通，依水而建的宫廷园林幽雅别致。而今，当人们或漫步在北海、中南海的亭台楼阁之间，或荡舟于颐和园昆明湖的碧波之上，或凭吊于昔日有“万园之园”称誉的圆明园遗址之中，或小憩于浓荫匝地的玉渊潭、龙潭湖公园……都会感到这是一种醉人心脾的享受，都会从心底赞美这大自然的恩赐和人类智慧的巧妙结合。

近些年来，由于经济的发展，北京的水环境有恶化的趋势，为此，北京启动了城市水系治理工程。一是实现水系通航。继六海清淤后，又对昆玉河和长河进行治理，实现了昆明湖和玉渊潭、昆明湖至北展后湖的通航后，又实现了南线水系治理通航。二是保护和弘扬水文化。在水系治理过程中，尽量保留文物遗址的原有风貌，力求与历史呼应。三是综合治理河湖。通过水系的综合治理，实现了人与水的重新亲近。

如今，北京城如一颗明珠，被永定河、高粱河这两条玉带缠系着。这是大自然的馈赠。生活于其间的北京人，或多或少、或重或轻地展现着“水”的性格：澄明似水，虚静似水，柔情似水，关爱似水，聪慧似水，浸润似水。

水之京韵，传承文明。

2. 天津
——城风韵半城水

天津市是直辖市，地处华北平原东北部，东临渤海，北依燕山，西靠首都北京。天津的形成始于隋朝大运河的开通。明朝永乐二年(1404年)设"天津卫"，同年又设天津左卫并筑城，至此，天津城初具规模。19世纪中叶被辟为通商口岸后，天津逐步发展成为当时中国北方最大的金融商贸中心，在中国近代史上有着重要地位。

天津的主体是一片长期由河流淤积而成的沿海平原，水是其生命的原动力。天津市是海河五大支流南运河、子牙河、大清河、永定河、北运河的汇合处和入海口，素有"九河下梢"、"河海要冲"之称。天津市疆域周长约900公里，其中海岸线152.8公里。天津港是中国北方最大的综合性贸易港口，拥有全国最大的集装箱码头。天津不乏载船之水，而"引滦入津"工程，又从根本上解决了天津的城市用水问题。

说起天津的水，首先提到的便是海河。由于海河具有河流通津的优越条件，天津一直是首都北京的出海口和东大门，所以中国近代以来的许多重大历史事件——从鸦片战争到平津战役——差不多都要通过海河演绎，都和天津有关。早就有人深刻指出，近百年来，"吾国外事尽萃于天津，外交之利害，全国之安危，而恒于是乎卜之，故往往动中外人之视听"。这就是说，百年间的风云变幻，无不在海河与天津留有深深的印迹。

说起天津的水，就不能不提到南北大运河。自隋朝以后，南北大运河使得天津成为贯通北国与江南的动脉中枢。尤其是元朝建都北京、明成祖朱棣迁都北京之后，天津作为南粮北运的验收、转运、仓储之地，始终是国民经济之命门。漕运文化也是

水文化的衍生物，漕运文化的积淀，使得天津成为当时封闭的农业社会中罕见的一座南北交融的城市。元代《直沽诗》曰："转粟春秋入，行舟日夜过。兵民杂居久，一半解吴歌。"南北文人汇聚的水西庄"文化沙龙"现象，则是异地交流的形象例证。天津不仅地处九河下梢，还是北方少见的水乡泽国，这里曾有"七十二沽，九十九淀"。乾隆皇帝称颂津沽大地"广衍多隰，众水所钟，翕之渟之，呀然成渊"。

河海通津，湖淀密布，造就了天津南北交融、中西荟萃的多元文化特征。这里有中国第一所西式教育大学北洋大学、第一支近代海军、第一支警察部队、第一条运营铁路、第一条有轨电车路线、第一枚邮票"大龙邮票"、第一座海洋化工制盐制碱厂……一百多项"中国第一"奠定了近代天津无可争议的历史地位。而闻名全国的《大公报》则于1902年在天津创刊。孙中山三次来津传播革命思想，在他生命的最后一个月，他仍在天津奔走呼号。许多著名的共产党人，如李大钊、周恩来、邓颖超等，都曾在天津领导革命斗争。弘一法师李叔同出生于天津，在皈依佛门之前，他是西洋绘画、音乐、戏剧等诸多领域的启蒙者。海河之畔还完整地保存着曹禺故居，他的话剧名作《雷雨》、《日出》均取材于天津。近代天津在孕育精英文化的同时，也是培育大众文化的一方沃土。这里是评剧、曲艺的发祥地，出现了白玉霜、新凤霞、骆玉笙、马三立等众多表演艺术家。此外，"泥人张"彩塑、杨柳青年画、"风筝魏"风筝等独具地方特色的民间艺术至今享誉全球。还有著名的中式建筑独乐寺、大悲院、天后宫、广东会馆、石家大院……其精美程度不亚于全国各地的其他古典式楼宇。

可见，天津乃大河大海大湖大泽"众水所钟"之宝城。天津如能把水的优势发挥得更加淋漓尽致，则河如飘带，湖似明珠，一定能成为名副其实的"一城风韵半城水"之都。

3. 上海
江尾海头造商都

上海简称“沪”，源自上海地区渔民发明的一种竹编捕鱼工具“扈”。战国时的上海是楚春申君黄歇封邑的一部分，故别称“申”。“上海”之称始于宋代，当时的上海已成为中国的一个新兴贸易港口，该地区有十八大浦，其中一条叫上海浦，它的西岸设有上海镇。1292 年，上海改镇为县。1949 年，上海被设为直辖市。

上海，是一座因水成就其得天独厚形象的城市，它位于长江之箭与弧形海岸线的搭接处，背靠太湖，面临东海，北挟长江口，南临杭州湾，内有黄浦江和苏州河浩浩荡荡穿城而过。其间河湖众多，水网密布，水资源丰富，是著名的江南水乡。上海河流大多属黄浦江水系，主要有黄浦江及其支流苏州河、川扬河、淀浦河等。黄浦江源自太湖，流经市区，终年不冻，是上海的水上交通要道。苏州河上海境内段长约 54 公里。上海的湖泊集中在与江、浙交界的西部洼地，最大湖泊为淀山湖，面积约为 62 平方公里。

黄浦江，古称东江，又称大黄浦。战国时期，楚春申君黄歇命人开凿疏浚大江，后人为了纪念春申君，大江被命名为黄歇浦，亦称申江或春申江。明代永乐初年，户部尚书夏原吉治水于江南，动用 20 万民工，疏通黄浦江，把黄浦江同一条连接长江的河流范家浜接通。黄浦江的贯通，对上海的发展起着巨大的推动作用。今天的黄浦江，两岸高楼林立，游人如织。尤其是位于外白渡桥至南浦大桥的黄浦江西岸，矗立着各种风格迥异的中西建筑，宛如近代世界万国建筑博览会。而对岸的金茂大厦、东方明珠塔也是游人尽

可一览的胜景。南浦大桥、杨浦大桥段，桥与河互映，河与桥相衬，桥高水阔，江风劲吹，沧桑变幻，今非昔比。而“船在江中游，人在画中行”的意境也悄然而至。大小洋山港的建成和投入使用，也为更好地发挥长江航运能力提供了非常好的客观条件。

苏州河又名吴淞江，是太湖的一脉。苏州河两岸曾经错落地散布着农田、湿地、芦苇、沟汊，“秋风一起，丛苇萧疏，日落时洪澜回紫”。随着上海的都市化，田园之中陆续建起了英国领事馆、礼查饭店、百老汇大厦、文汇博物院、新天安堂、光陆大戏院、公济医院大楼、邮政局大楼、自来水厂、天后宫、河滨大楼、圣约翰书院（后为圣约翰大学）等。这些楼群临水而立，时人譬之为“连云楼阁”。它们以商业的繁华为扩展中的都市勾勒出一种轮廓，流经其间的苏州河就此成了一条著名的河流。

上海的园林景观，既得江南传统式园林的神韵，也可见域外开放式公园的风情。300余年历史的松江醉白池、450多年历史的南翔古猗园、500年历史的嘉定秋霞圃，还有豫园、青浦的曲水园，不论是古典型的，还是现代式的，我们都能从中体会到因水成景、以水造景、水中有景、景中有水的巧妙。而城区的植物园、动物园、森林公园、东方绿洲、长风公园、世纪公园，还有延中绿地、大宁绿地、虹桥绿地、太平桥绿地，都是“无水不成园，无水不成景”。溪流、湖泊与坡地、草坪、密林、竹丛，高低起伏，迂回错落，相辅相成，相得益彰，共同体现着这座城市的风水和景色。若雅兴更甚，也不妨再寻访一下龙华寺、玉佛寺、现存最古的松江清真寺，以追思上海更深厚的文化底蕴。

在经济腾飞的今天，上海也面临着河道变窄、河岸变硬、河水变黑的尴尬。只是，聪明的上海人深谋远虑，无论是沿着黄浦江建设世博会建筑群，还是进行新一轮的浦江开发，都始终坚持以人为本，人水和谐。不远的将来，上海人必将临水而居，与水为邻，那将是上海又一轮腾飞的起点。

4. 重庆

山城矗立两江畔

重庆古称江州，是一座有着3 000多年历史的文化名城。重庆市区位于长江、嘉陵江两江交汇处，形态为一丘脊舌状半岛(渝中半岛)。全城依山而建，临江而筑，市内坡峭路陡，楼房高低错落有致，山和城融为一体，故又名山城。

重庆史称巴国、巴郡、巴州、巴县、恭州。重庆之名始于南宋，孝宗淳熙十六年，赵淳先于恭州被封为恭王，随后又即帝位，颂为“双重喜庆”，史上便将恭州改为重庆府，府治为巴县城，命名至今有800余年。

重庆境内河流密布，长江、嘉陵江和乌江穿城而过，流域面积大于50平方公里的河流有300多条。其中，除北部的任河汇入汉水、东南部的酉水注入沅江、濑溪河和大清河注入沱江外，其余河流均汇入境内长江。境内长江左岸河流多而长，呈格子状水系；右岸河流一般短而少，呈树状水系。

三峡是重庆的门户，构筑了这座山城的灵魂。三峡不仅是重庆水运交通的主体，还繁荣了重庆的旅游经济。长江三峡发端于重庆奉节，三国文化名胜古迹和雄伟壮观的山水风光构成了它恢弘的美景，著名的景点有：涪陵周易园、白鹤梁水下石铭、丰都、石宝寨、张飞庙、白帝城、八阵图、瞿塘峡、巫峡、西陵峡、屈原祠、三峡大坝、古黄陵庙、三游洞等。

著名的瞿塘峡西起奉节白帝城，东至巫山黛溪，在三峡中以雄险著称。

峡口夔门南北两岸峭壁千仞，如刀砍斧削一般，江流汹涌于宽仅 100 余米的狭窄江道之中，所以自古有誉道："夔门天下雄。"顺江而下，迅流湍急，云天一线，十分险峻。巫峡，西起重庆市巫山县大宁河口，东至湖北省巴东县，峡长谷深，迂回曲折，奇峰连绵，烟云缭绕，景色清幽之极，如同一条美不胜收的画廊。涪陵周易园位于涪陵城北岸，以大型摩崖石刻著称，有黄庭坚、朱熹、陆游、王士祯等历代名人书法手迹 80 余幅。白鹤梁水下石铭位于涪陵长江中，为一块天然巨型石梁。石梁上铭刻记录了自唐朝以来至 1963 年的 1 200 多年间 72 个年份的历史枯水位情况，对研究长江中上游水文状况有着重大的价值。著名的白帝城位于瞿塘峡口，是观赏夔门佳景的最佳地点。

重庆既为山水名城，自然少不了名胜古迹。朝天门位于重庆城东北的长江、嘉陵江交汇处，襟带两江，壁垒三面，地势中高，两侧渐次向下倾斜。朝天门始建于明代，今天的朝天门广场是俯看两江汇流、纵览沿江风光的绝佳去处。朝天门左侧的嘉陵江纳细流汇小川，于此注入长江。据载：每当初夏仲秋，碧绿的嘉陵江水与褐黄色的长江水激流撞击，漩涡滚滚，清浊分明，形成"夹马水"景观，其势如野马分鬃，十分壮观。朝天门右侧的长江融嘉陵江水后，声势浩荡，穿三峡，通江汉，一泻千里，成为长江上的黄金水段。朝天门给人一种开阔而气度不凡的感觉，一些建筑临江而建，各有着自己的风格与韵味。

现在，三峡大坝的建设给重庆的发展带来了极大的契机，重庆正面临着一个经济、旅游文化事业全面发展的极佳机遇。重庆如穿城而过的江水，正恢弘地奔向梦想的远方！

5. 宜宾 万里长江第一城

宜宾市，是古代南丝绸之路的起点，也是全国闻名的酒都。宜宾历史悠久，有近 2 200 年的建城史。唐天宝元年，以少数民族"以义宾服"之意，始称"义宾"。后来为避北宋皇帝赵匡义的字讳，按《孟子》"义者宜也"，改为"宜宾"。金沙江和岷江在这里汇流而成长江，故宜宾享有"万里长江第一城"和"三江明珠"的美誉。

宜宾全市河流均属长江水系，长江、金沙江和支流岷江曲折横贯全市。其他中小河流均以金沙江、岷江、长江为主干，或由南向北，或向北向南往三江汇集，呈不对称的南多北少的河网分布。其中，流入金沙江水的有西宁河、中都河和横江等 8 条中小河流；流入岷江的有箭板河、越溪河等 8 条中小河流；长江东流途中先后有南广河、黄沙河、长宁河等河流汇入。宜宾的水资源充足而洁净，但市区境内地下水总量有限。

宜宾，宜山又宜水，以其丰富的自然和人文旅游景观，成为四川南部旅游资源最为丰富的地区，吸引着无数的游客前往观光游览。这里有被称为"蜀南三绝"的"蜀南竹海"、"石海洞乡"、"僰人悬棺"，还有国家重点保护的夕佳山古民居和真武山道教古建筑群等珍贵文物。金秋湖景区是蜀南竹海四大一级景区之一。该湖是宜宾市兴建的中型水库，风光秀丽，景色怡人，库总面积约 6 600 亩，其中水面 1 800 亩。景色以自然景观为主，景点主要体现为清泉碧潭、飞瀑彩虹。"七彩飞瀑"位于"蜀南竹

海”东北部。竹海里的山溪都汇集于此，然后分为四级泻下悬崖，落差高达200多米，因为水量大且流速快，加之岩壁陡峭，所以流水刚出谷口，便飞流直下，非常壮观。每当太阳升起，阳光照射，瀑布激起的水雾就显得绚丽多姿，由此而得“七彩飞瀑”之名。三江汇合处位于宜宾市合江门处。此处是宜宾的一个大型码头，可通重庆、乐山、云南，岷江与金沙江在此结束其历史使命，将其托付于长江（此处开始金沙江才改名为长江）。合江门风光独特，对面还有著名的宜宾白塔。

在宜宾当地的诸多文化中，酒文化有着举足轻重的地位。宜宾地处大西南名酒带中心，2 000余年来名酿代出，是中国酒文化发祥地之一。古代的宜宾美酒，就曾博得很多诗人、词人的赞誉，杜甫、黄庭坚、范成大、陆游都曾写诗盛赞宜宾美酒。壮年时的陆游甚至有过要在宜宾终老的念头。至于明清的李春光、尹伸、张问陶、刘光第、赵熙等人，以及当代的李鹏、阳翰笙、华罗庚、张爱萍、邓力群、魏传统等都曾写诗、作文对宜宾美酒给予了极高的赞誉。目前国内规模最大的专业性的酒文化博物馆就建在宜宾。

优质酒的前提是优质的水源，而化工工业对水源的要求也是非常高的。多年来，宜宾已形成了以酿酒为特色，能源、化工、轻纺、造纸等为主的现代工业体系，五粮液集团已确立了中国酒业大王的地位。这里还拥有中国最大的维卡纤维生产企业，拥有中国唯一的核燃料组建生产基地和西部最大的氯碱化工生产基地。

宜宾港是国家规划的长江六大内河枢纽港之一。更为重要的是，其境内三江流段蕴藏着十分丰富的水能。经过专家考证，宜宾是“西电东送”的重要支撑城市，金沙江下游兴建的向家坝水电站和溪落渡水电站，都以宜宾市作为主要依托。2015年，宜宾将总投资700多亿元构建以水电为主，核电、火电为辅的能源产业链。届时，这个千年酒都将会成为中国又一个世界级的能源基地。

6. 石家庄 滹沱冲积建石门

石家庄市以及周边广大地区，是人类文明开发较早、文化底蕴十分深厚的地区。石家庄地处河北省中南部，环渤海湾经济区，东与衡水接壤，南与邢台毗连，西与山西为邻，北与保定相对，为河北省省会。

石家庄大区域内河流主要分属海河流域大清河水系和子牙河水系。有行洪河道6条，其中北部的沙河、磁河木刀沟属大清河系；中南部的滹沱河、洨河、槐河、泲河属子牙河系。

滹沱河是子牙河系两大支流之一。发源于山西省繁峙县五台山北麓，经忻定盆地，穿太行山脉，自盂县闫庄入石家庄市平山。在鹿泉市黄壁庄附近有较大支流冶河汇入，向东横贯郊区、正定、藁城及晋州、无极边界，从深泽出境入衡水市安平县。滹沱河在石家庄市境内全长约201公里，是石家庄市最大行洪河道，其主要堤防——滹沱河北大堤是省重点防洪工程。滹沱河上游干流建有岗南水库、黄壁庄水库两座大型水库，支流文都河、南甸河分别建有石板水库、下观水库两座中型水库。岗南、黄壁庄水库运行40多年来，在防洪、供水和发电等方面发挥了重要作用，为全省社会稳定、经济发展和人民生活水平提高作出了重要贡献。

石家庄有着深厚的文化底蕴，市区白佛口文化遗址是目前全市境内发现的最早的平原地区人类遗址，距今约6 000～7 000年；新乐古代遗址伏羲台证明了6 000多年前中华人文始祖伏羲氏曾活动于此地。战国中山国文化，是石家庄历史文化脉络中的重要一环，也是继藁城台西商文化之后令世界瞩目的辉煌文化。两汉时期，石家庄西部的太行山区一直是制造兵器、铠甲和生产工具的重要冶金基地之一，冶河因此而得名。

石家庄隋唐文化中最为光辉的历史成就是赵州安济桥，桥全长64.4米，年代最久，跨度最大，它是世界公认的大型敞肩式石拱桥的鼻祖，在世界桥梁建筑史上占有突出的地位，被联合国确认为世界人类文化遗产。在其1 400余年的历史中，赵州桥经受住无数次洪水冲击，8次大地震摇撼，以及

年复一年的车辆重压，至今仍巍然横跨于洨河之上。

隋唐时期石家庄籍的文化名人有魏征和李吉甫；北宋时期，富弼、韩琦、欧阳修、沈括、苏轼等名宦贤臣先后奉使河北，都在真定府（今正定）留下足迹，促进了这一地区经济、文化的繁荣。1948 年 5 月—1949 年 3 月间，西柏坡是中共中央和中国人民解放军总部所在地，党中央、毛主席在此指挥了名震中外的三大战役，召开了著名的中国共产党七届二中全会。

碧波荡漾的水面，鸭鹅成群地自在畅游，船帆点点，夹岸的垂柳倒映在湖水里，悠闲的人们在岸边垂钓，一派温馨、祥和的宜人景象，不是江南，胜似江南……从 20 世纪 90 年代开始，石家庄开始从改善水环境入手，修建了全长约 557 公里的环城河——民心河，从此，一条碧波荡漾的玉带蜿蜒于这座城市，沿河 20 多个公园，像朵朵鲜花把这座城市装点得无比美丽；利用石津灌区，人们在滹沱河沿岸修建了太平河湿地，环绕在城市的外围，滋润着大地万物；而生态防洪工程的长远规划和建设，规模宏大，一弯弯波光潋滟、环境优美的生态水域，给城市带来了清新的环境和宜居的舒适空间。

今日的石家庄秉承着过去，开拓着未来，改革开放给石家庄提供了参与国际经济大循环、建成现代化大都市的机遇。

石家庄，正以与它名字一样坚定的信念奔赴美好的未来！

7. 邯郸

赵都风云绕滏漳

拥有3 000多年历史的文明古都邯郸位于河北省最南端，几千年来，滏阳河和漳河在这座城市里静静地流淌。新中国成立后设邯郸市，下辖1市、4区、14县，人口约850万。悠久的历史和得天独厚的地理位置使邯郸市成为冀南的中心城市。

邯郸的起源在考古学上并没有权威的定论，最早可以追溯到公元前12至13世纪。公元前386年，赵王迁都邯郸，从此邯郸步入了历时300多年的鼎盛时期。从赵国都城到西汉富甲一方的大都会，邯郸在历史上留下了抹不去的印记。然而，没有哪个城市能够永远引领风骚，300年的繁华之后，这座历史名都步入了长达1 000多年的衰退期，直到1906年铁路的修通，才又迎来了涅槃的机会。

邯郸市境内有滏阳河、漳河、沁河、名河、输元河和卫河等河流。历史上，在邯郸境内还有渚河和马颊河两条河流。渚河在邯郸市区南部，流经战国名将廉颇之墓和战国名相蔺相如的家乡——蔺家河以及古赵王城，后与支流滏河相会，现已干涸。马颊河位于大名县东南与山东河南交界处的龙王庙一带，旁有马陵道，系孙膑困杀庞涓处，因战马死亡太多，河中马的脸颊骨随处皆是而得名马颊河，现也早已干涸为荒沙滩。

除了古城遗址，邯郸市内还有许多著名的水景点。水势浩森的京娘湖，因明代文学家冯梦龙编著的《警世通言》记载赵匡胤“不恋私情不畏强，独行千里送京娘”故事而得名。这里层峦叠嶂，群峰竞秀，波光粼粼，林木茂盛，素有“太行三峡”之称。这一带还有一些很有意思的民俗，如在元宵节开唱的“傩戏”，俗称“捉黄鬼”，其表演角色有百余个，参加表演的人物达四五百人之多。整场表演自晨2时开始一直进行到晚上，场面十分壮观。

另外还有著名的朝阳沟，著名的豫剧《朝阳沟》便是在这里拍摄的。这里阳春时节花木繁盛、百鸟争鸣，盛夏时节泉水清澈，流水不断，是人们亲近自然的好去处。

在赵敬侯迁都邯郸之前，邯郸就是一块颇受帝王诸侯重视的宝地——它西依巍巍太行山，东依华北大平原，又有漳河、滏阳河和渚河等河流穿梭围绕于都城内外。当时邯郸“北通燕、涿，南有郑、卫”，同时又是太行八陉之一——滏口陉沟连南北大道的交汇点。赵迁都邯郸之后，以都城为依托逐渐强大，邯郸也日渐兴荣。当时的邯郸是商旅云集之地，秦国名相吕不韦就是在此地成为富可敌国的大商人的，同时这里也是秦始皇嬴政的出生地。邯郸的艺术、学术也发展到了相当高的水平，出现了像荀子、公孙龙一类的历史文化名人。

秦灭六国，一统天下，邯郸沦为郡，百姓迁出，巨商流散。到了西汉时期，邯郸又迎来了一次回光返照式的辉煌。这里的居民懂得利用邯郸特殊的水运优势，又精通经商之道，使邯郸逐渐成为漳渚水和黄河间的一大都会，与当时的都城长安、洛阳、临淄、宛、成都等齐名。

之后，邯郸便渐渐退出了历史的中心舞台，开始和它的河水一样默默无闻，无声无息了 1 000 多年。虽然邯郸市内有滏阳河、沁河和渚河，但是通航能力有限，不能成为航运枢纽。

新中国成立后，经济的高速发展也给邯郸带来了不小的水污染问题。从沿河而建的钢铁厂、化工厂排出的工业废水及沿河聚居的居民的日常污水都一股脑儿排入沁河、滏阳河和漳河，使这些曾经令邯郸人引以为豪的河流成了人们心头抹不去的痛。

如今，南水北调中线工程已经由漳河进入邯郸市内，政府也正加大力度治理市内河流的污染，并积极沟通城市周边水系，解决缺水问题。水依然牵动着邯郸的命运，在滏阳河、漳河这两条母亲河的见证下，这座千年古城终将获得涅槃新生，并走向兴旺发达！

8. 承德
避暑胜地趣在水

素有“紫塞明珠”之美称的承德市，位于河北省东北部，是古今中外著名的避暑胜地，也是著名的历史文化名城，人口 360 多万，占地约 4 万平方公里。这里的风光融南北风格于一体，是清朝康熙、乾隆时期帝王重要的避暑场所。

承德旧称热河，最早名为热河上营。热河即现承德市境内的武烈水，在流经避暑山庄境内时有温泉涌出，故名热河。

承德水资源十分丰富，境内有潮河、滦河、柳河、老牛河等水系，清美甘甜的潮河水和滦河水，源源不断地流往北京和天津。武烈水流经著名的避暑山庄。山庄内有澄湖、上湖、下湖和银湖等小湖泊，它们不仅是山庄的水源，也使山庄景色独具水的灵气与柔美。

在古代，承德一直是一个“名号不掌于职方”的小村落。直到清朝康熙年间，康熙帝看中了这块风水宝地——热河与滦河两水交汇，又有磬锤峰翘然独立，山形水色，阴阳调和，于是便在此修建了行宫，作为避暑胜地。从此这一带人口与日俱增，到康熙五十年就已经是“生理农桑事，聚民至万家”的大村镇了。此后，王公贵族竞相来此建造府邸，工商业、服务业迅速发展，承德逐渐成为一个大都会，并以水秀山清的好风光成了闻名遐迩的避暑胜地。

从辛亥革命到新中国成立之前，承德经历了时代洗礼，默默的流水道不尽这块宝地的世事变迁。解放后，承德成为河北省的一个地级市，并用它的河水哺育着京津塘地区的千万人民。改革开放后，承德市也步入了飞速发展的城市行列。高速的发展为承德市的水资源带来了严重的污染。京津塘地区的发展，也加大了承德市供水的

压力，许多河流开始干涸。山庄本来因水而建，以水为秀，水的污染和破坏使原本以水为核心的一些景点逐渐消失。

20世纪90年代开始，承德市政府开始重视水污染问题，开始着手治理被污染和破坏的河流，以重新找回水清山绿的美丽承德。而今，承德市又迎回了它的美丽，在1994年进入了国家首批历史文化名城的行列，并大力发展旅游行业，吸引了国内外不少游客到此观光。

承德最吸引人的非避暑山庄莫属。山庄集北国雄奇风光与江南秀美景色于一体，而水是山庄的灵魂。成书于乾隆年间的《热河志》写道："山庄以山名，而胜趣实在水。"山庄内有康熙乾隆钦点的七十二景。不少景点的名字就和水有关，如"水芳岩秀"、"镜水云岑"、"水流云在"、"水心榭"，再如"烟波致爽"、"芳渚临流"、"双湖夹镜"、"如意湖"等，不胜枚举。

承德，物华天宝，钟灵毓秀。康熙、乾隆乃封建王朝历史上的明君，都与这个地方结下了不解之缘。从某种意义上来讲，承德并不仅仅是一个避暑胜地，这座城市更多地表现出数百年前的清朝中央政府对民族大一统的重视，因此它的整个布局也别具匠心：在北部草原南侧筑起高大的土堤，以象征万里长城；疏浚了当地流向东南湖区的三条溪水，以象征黄河、长江、珠江三大水系；同时还在山庄周围建造了一批豪华的寺庙，以象征边疆各民族众星拱月，心向朝廷。如果把京城比作前厅，那么承德就是后花园了。

如今，承德市政府提出了"以水为魂，以山为骨，以绿为脉，以避暑山庄为核心"的建设理念，并且"以水联利"，加强了与京津塘地区的联系，进入了由京津"牵头"的京津冀都市圈区。让我们期待承德再一次"因水而荣"！

9. 保定
京畿重地白洋淀

位于河北中部的保定城，地处北京、天津、石家庄三角腹地。现辖25个县（市、区），面积2.21万平方公里，人口1 100万，素有“首都南大门”之称。

保定历史悠久，是尧帝的故乡。春秋战国时期，燕、中山就在境内建都。保定之名，寓“保卫大都，安定天下”之意，大都即北京。

保定是兼有平原、湖泊、湿地、丘陵、山地、亚高山草甸的地区，地形复杂，是华北水资源丰富的城市之一。保定境内河流主要属海河流域大清河水系，分为南北两支，长10公里以上的河道有99条，呈扇形分布于全市，较大河流有潴龙河、唐河、清水河、界河、府河、漕河、瀑河、南拒马河、北拒马河（白沟河）、大清河等。白洋淀位于市域东部，由众多淀泊组成，为天然积水区。

众多的河流不仅是古时保定一带发展农业的基础，也是封建社会时期水运的要道，奠定了保定特殊的战略地位和历史地位。历史上，每次战乱，打北京必先打保定；保护北京，必先清剿保定，因此保定自古就是京畿重地。至宋景德元年十二月，宋辽订立“澶渊之盟”，两国才结束了长达30余年的大规模战争。双方以易水、白沟河为界，并互开榷场，进行双边贸易，这些榷场多在保定境内。

保定区域具有发达的史前文明。考古证明在2.8万年前，这里是黄种人（蒙古人种）的祖先——智人的繁衍生息地。战国中期，赵灭中山，保定南属赵，北属燕，始有“燕南赵北”之说，成为燕文化的腹地。燕昭王复国中兴、荆柯刺秦王等传之千古

的事件都源于此。秦汉时期，保定区域始设众多的郡（国）、县，筑关建城，成为北部防御要地。隋唐五代时期，保定区域经历了隋初和盛唐的稳定发展阶段，也经历了隋末的动荡，唐代安史之乱、藩镇割据和五代的战乱。北宋时期，保定就已是一座大城市。只可惜它处在宋辽边界，常年战事不断，千疮百孔。后来元朝设郡，明朝建府，清朝为直隶总督署，此后就一直是河北的政治、经济、文化、军事中心。近代，保定作为北京腹地，更是反帝爱国运动、辛亥革命、共产主义革命的发源地之一。

保定悠久的历史、辉煌的战斗史使之成为一座红色之城。在中国现代文学史上诞生了以著名作家孙犁、“荷花淀”派为代表的保定作家群。《荷花淀》、《红旗谱》、《小兵张嘎》、《敌后武工队》、《青春之歌》、《野火春风斗古城》、《地道战》、《狼牙山五壮士》、《烈火金刚》、《平原枪声》等著名电影、文学作品与保定的名字一同享誉海内外，激励了一代又一代中国人。

流动跳荡的水，富于灵性，在城市里，它是流动的因素，是城市活力和生机的源泉之一。河流像血液一样，它延续着一个城市的生命，并调理出一个城市独特的气息。白洋淀苇绿荷红，胜似江南，留下了革命的传奇，也留下了如今的美景：野三坡世外桃源，神奇俊美；白石山、大茂山巍峨耸立，云蒸霞蔚；天桥瀑布、龙门天关飞流直下，气象万千；西胜沟峡谷龙潭，峰回路转，北岳庙历览千年，风采依旧；万顷桃园“乱花渐欲迷人眼”，空中草原“浅草才能没马蹄”；紫荆关畿南第一天下险，古栈道地下长城世间奇！

水，是保定城的血液！如今，保定的发展也给保定的水带来巨大的压力，原本城内的一亩泉已经不能承受保定的用水压力，政府已经开始启动西大洋水库的引水工程；南水北调也将为保定带来新的发展动力。

10. 太原
汾水纵横润晋城

太原是山西省省会，位于山西省中央、华北地区黄河流域中部，太阳盆地北端，西、北、东三面环山，地处南北同蒲和石太铁路线的交汇处。太原古称晋阳，属并州和太原郡。古代因太原地处汾水上游，周围有一大片开阔的平地，于是称此地区为“太原”。西周时此地称为并州，为古九州之一。

“晋水千庐合，汾桥万国从”，盛唐诗人王昌龄面对晋阳城繁华开放的壮观景象，发出了这样的感慨。其实，不仅在唐朝，当我们把太原放在中华文明5 000年的历史背景之下考察，会发现古老的太原其实也是一个充满生机、开放多元、豪侠刚健的名城。独特的地理环境，加之民族大融合的熏陶、频繁的战争锤炼，使太原成为中国古代不同民族、不同文化、不同文明相互交融的大熔炉。

晋水之中，汾源和汾水为三晋悠久灿烂的文明作出了巨大贡献。汾河是山西最大的河流，全长约710公里，也是黄河的第二大支流。汾者，大也，汾河因此而得名。汾河太原段在太原境内纵贯南北，全长100余公里，长度占整个汾河的七分之一。《山海经》载：“管涔之山，汾水出焉。西流注入河（黄河）。”《水经注》载：“汾水出太原汾阳之北管涔山。”历史上汾河水资源曾经十分丰富，战国时有秦穆公“泛舟之役”；汉武帝

曾乘坐楼船溯汾河而行；从隋到唐、宋、辽、金，山西的粮食和管涔山上的奇松古木经汾河入黄河、渭河，漕运到长安等地，史书称“万木下汾河”。就连20世纪50年代，在《人说山西好风光》的歌里，依然是“汾河流水哗啦啦”的

喜人景象。

晋水中最著名的景点就是晋祠了，晋祠在太原市西南25公里悬瓮山下晋水发源处，始建于北魏，为纪念周武王次子叔虞而建。叔虞封唐，其子燮因晋水更国号，后人因以命祠名。晋水主要源头由此流出，常年不息，清澈见底。祠内贞观宝翰亭中有唐太宗撰写的御碑《晋祠之铭并序》。祠内还有著名的周柏、隋槐，周柏位于圣母殿左侧，隋槐在关帝庙内，老枝纵横，至今生机勃勃，郁郁苍苍，与长流不息的难老泉和精美的宋塑侍女像被誉为“晋祠三绝”。

细数太原历史，在2 500多年的历史长河中，这里曾经是唐尧故地、战国名城、太原故国、北朝霸府、天王北都、中原北门、九边重镇、晋商故里。“无端更渡桑干水，却望并州是故乡。”唐代大诗人李白曾经盛赞太原“天王三京，北都其一”，“雄藩巨镇，非贤莫居”。只要来过太原的人，都会深深地陶醉在它悠久的历史和灿烂的文化之中。

太原孕育了悠久灿烂的文化，也造就了一大批在中国历史上耀眼夺目的文人才俊。特别是唐代边塞诗人王昌龄、王之涣将细致委婉的内心情怀融于雄壮豪放之中，形成了独具苍凉之美的诗文，成为千古绝唱；新乐府运动的领军人物白居易创作了《琵琶行》、《长恨歌》等一批现实主义名篇，至今传诵不衰；太原人罗贯中撰写的《三国演义》，首开我国语体章回小说的先河；明末清初的大儒傅山，其渊博的学识与高尚的气节，为后人所敬仰。还有元好问、阎若璩等，均是在太原这片热土上成长起来的学术大家，他们是太原灿烂文化的代表，为中华文明增添了一页页不朽的篇章。

“黄河落天润三晋，清泉长流惠人民”。万家寨“引黄入晋”工程的建成，大大缓解了太原市严重缺水的现状。围河成湖的迎泽湖水，像一块硕大的碧玉，镶嵌在太原城中。而太原汾河景区的规划治理，也为太原谱写出了新的发展篇章。

11. 大同

缺水的"北方煤海"

大同西临黄河，地处黄土高原东北边缘地段，是我国古代文明的发祥地之一。它以煤田丰富、煤质优良著称，被誉为"北方煤海"，是华北地区重要的能源化工基地之一。境内还有气魄雄伟的云岗石窟和"人天北柱"的北岳恒山等一批著名景点。自古以来，大同就是兵家必争之地、北方之重镇。大同市总面积 14 000 多平方公里，人口 310 多万。

大同古称平城、云中，至今已有 2 400 多年的历史。早在战国初年，这里就是赵国的重要军事要塞。从秦汉至魏晋南北朝，大同曾一度是我国北方的政治、经济、军事、文化的中心，很多民族聚居于此并进行经济文化的交流。直至辽重熙十七年，即公元 1048 年，始称大同，并一直沿用至今。

大同市地跨海河、黄河两大流域，但以海河流域为主。全市大小河流二十几条，分属海河流域永定河水系与黄河水系，其中属于永定河水系的有桑干河、壶流河、浑河、西洋河、南洋河、御河、唐河等，属于黄河水系的有沧头河、马营河等。境内河流伸展于全境，大都汇于桑干河。而桑干河自南向东北横贯全市，将市境分割成西北、东南两大区域，形成周围高、中间低，两山夹一川的大同盆地。

历史上的大同，林茂草丰，泽国富庶，旖旎在秀美山川之间。近代的大同依托丰富的煤矿资源创产业，兴煤城。可是沧海桑田，时移境迁，大同被誉为"煤都"的同时，也戴上了"滴水如油"的帽子，成为全国 110 个严重缺水城市之一。这里降水量偏少且时空分布不均，导致土地沙化和水土流失严重。如今的大同是京津风沙源和全国水土流

失最严重的地区之一。水资源短缺和地下水超采、水污染等问题，已经成为制约大同经济可持续发展的一大瓶颈。

现在，大同市政府致力于打造大同“中国煤都，旅游胜地”的城市名片。大同是一座历史名城，旅游文物景点多、品位高、名气大。武周山南麓的云冈石窟，现存主要洞窟53个、石雕造像51 000余尊，被誉为世界艺术宝库。它与敦煌石窟以及龙门石窟并称为中国三大石窟，是中国早期石雕艺术的代表。大同的九龙壁，是现存完好的三座九龙壁之一。它五彩斑斓，风格粗犷，是中国龙壁之最。恒山上还有被徐霞客称为“天下巨观”的悬空寺，为恒山十八景之冠。该寺始建于北魏，距今已有1 400多年的历史，是中国最著名的悬空寺。此外还有“巨刹”华严寺、“天下奇观”释迦塔、古墓葬、万里长城、烽火台、平城遗址和革命纪念建筑物等众多历史文化遗产。

在大同城东马铺山脚下，有一个叫文瀛湖的湖，俗称“小东海”。它是一个集拦蓄御河洪水、浇灌农田、养殖鱼类等功能于一身的小型水库。该湖是大同市的主要产鱼区，也是美丽的湖滨游览胜地。在湖心修筑有一个2.6公顷的小岛，西堤和湖心岛建有4个游船码头，湖的四周有植物园苗圃、度假村、游泳池、赛马场等设施。

大同地处塞上，它那天高云阔的塞北风光，雄伟壮丽的重关叠嶂，古朴挺拔的巨刹危楼，足以倾倒八方游客。大同人常称大同为“福地宝城”，表达了他们心中的那份自豪。

在解决水危机问题上，大同市委、市政府围绕“兴水富市”这个重大战略问题，推进资源型城市转型，在全市拉开了声势浩大的兴水治水大幕。为彻底解决大同市缺水问题，实施了万家寨“引黄入同”项目，该项目总投资18.5亿元，分为两期工程。此外，政府还鼓励大面积种草、灌溉，实行舍饲圈养，发展奶牛、羊等养殖业。

12. 呼和浩特
敕勒川上的奇葩

呼和浩特，蒙古语，汉语意为“青色的城”，青色指呼和浩特丰盛的水草的颜色。它北依阴山山脉的大青山，南濒九曲黄河，是一座风光秀丽的边塞名城。早在50万年前，呼和浩特就出现了被称作为“大窑文化”的人类文明的曙光。战国时期，赵国在土默川始建“云中郡”。直到公元1572年，明代蒙古族首领阿拉坦汗在这里筑城、建庙，大兴土木，建成一座初具城市规模的“库库和屯”，并赐名为“归化”。这就是今天的呼和浩特的前身。清朝末年，将旧城(归化城)和新城(绥远城)合并，称“归绥”。1954年，撤消绥远省建制，组建内蒙古自治区，并将“归绥”更名为“呼和浩特”，作为内蒙古自治区首府。

呼和浩特水资源较为丰富。水系主要由黄河、大黑河、小黑河、什拉乌素河、宝贝河、沙河、银号河、缸房河组成。

大黑河是黄河上游的支流，古称敕勒川、黑水，源出大青山，西南流经呼和浩特市，到托克托县河口镇入黄河。因大量行洪漫地而形成特殊的季节性河流，包括干流和大青山诸支流等在内的流域面积近2万平方公里。这一流域自古水草丰美，土质肥沃，渠道纵横。呼和浩特市就坐落在大黑河的二级阶地及山麓洪积扇的复合地带。城南9公里处大黑河冲积平原上的昭君墓，是呼和浩特市最著名的“八景”之一，它是当时胡汉人民和平友好相处的历史见证。王昭君作为民族团结的友好使者，被各族

人民历代称颂。

呼和浩特著名的水景点玉泉井，起初叫“御泉”，后演变为“玉泉”。它位于呼和浩特市旧城大召前街北口。据《归绥县志》记载：“清圣祖驻跸过此，马踏地，引泉出。”玉泉井水四季常流，品尝其味，清洌甘甜、水质良好，远近闻名，有一横匾草书“九边第一泉”为证。相传该匾是清通译业三大号之一的大盛魁帐房先生王用贞用棍子裹上棉花，饱蘸浓墨书写而成，笔势飞动有力。当时来玉泉井汲水者，从早到晚不断，各式各样的水桶排成长龙。玉泉井旁边以前还有玉泉祠庙，庙前有一根青石柱，刻有“源泉常混混”字样。过去的归化城，曾有“石头旗杆木头庙”的新奇景致。“石头旗杆”就是指玉泉井南边这青石柱，大召等木结构建筑的庙宇就是“木头庙”。今天，一条柏油马路直通玉泉井，街道两旁仍保留古式房屋，建筑形式别具一格。

呼和浩特是一座历史悠久的城市。至今大青山上赵长城遗址依稀可辨，依旧在向人们诉说着赵武灵王在呼和浩特大地“变俗胡服，习骑射”的历史。其后的匈奴、鲜卑、突厥、蒙古族等与汉族在这块古老神奇的土地上繁衍生息，和睦相处，演出了一幕幕威武雄壮的历史剧，奏出了民族团结共同发展的历史颂歌，创造了呼和浩特灿烂的文化。大窑文化、阴山岩画、和林格尔汉墓壁画、昭君青冢、高耸入云的辽代白塔、金碧辉煌的大召寺等历史遗存，传诵至今的《敕勒歌》，马可波罗笔下昔日辽代丰洲城的繁华，都昭示着呼和浩特历史文化的悠久与辉煌。

水孕育生命，历史上的呼和浩特因水而兴，因水而盛。你只有站在内蒙的那片大草原上，你才能真正体会到那种豁达和不羁，这是水的智慧和风的坚毅所缔造的特殊的味道和感触，水的灵动和草原的生机互相辉映，绽放出生命蓬勃的美和茁壮的力量，“天苍苍，野茫茫，风吹草低见牛羊”，肥沃的土地在流淌的岁月之河的蕴藉下，熠熠生辉。草原上的牧民将继续努力地建造属于自己的文化，属于自己的城市。

13. 包头
黄河最年轻城市

位于黄河上游段的内蒙古包头市，素有“鹿城”之称，是黄河流域最年轻的城市之一，人口约243万。包头市又是我国重要的工业城市之一，也是重要的矿产基地。

由于与河套平原毗邻，自古以来这里就是北方少有的富饶之地。黄河包头市段长达214公里，一直是包头重要的水源。

包头市内除了黄河流经之外，另外还有艾不盖河、哈德门沟、昆都仑河、五当沟、水涧沟、美岱沟等河流，它们共同为包头市提供生活用水和工农业用水。

历史上，这里也曾建造过几座古城。由于地处黄河流域，在农业经济上包头占有重要的地位。但因为地处蒙汉交界，它的政治归属经常变动，所以并没有得到历代政府的重视。

1950年，新中国正式设立了包头市，依托内蒙古地区丰富的矿产资源和市内充足的水资源，包头市积极发展工业，逐渐成为内蒙古最大的城市。

从20世纪50年代起，包头就开始了大规模的水资源开发，先后修建了多处黄河水源地，以及奥陶窑子、团结渠、民生渠、磴口扬水站、画匠营水源地等较大的黄河提水工程，先后构筑了昆都仑、刘宝窑、水涧沟等中小型水库，进行了大规模的水资源开发。包头地区的生活、工业及农业用水设施已经能够满足本地区经济社会发

展的需要。

尽管如此，位于北方的包头市仍然是全国缺水的城市之一，人均水资源占有量只有全国的15%左右。加上工业的发展，也大大提高了对水资源的需求量，因此水依然是包头市工业发展的重要制约因素之一。

在社会经济发展的过程中，包头市政府也在不断积极吸取各地的发展经验，在城市水环境治理上下了很大的功夫，至今，包头市未出现重大的水污染事件，因而保证了包头市的可持续发展。

由于包头地理位置十分特殊——地处黄河流域，东西接沃野千里的土默川平原和河套平原，阴山山脉横贯中部，形成了不少罕见的景观如赛汗塔拉市内草原等。加之处于蒙汉交界之地，形成了包头独有的地方文化，如地方戏曲二人台，融蒙古戏曲与内地戏曲风格于一体。

包头有一处著名的景点叫南海，与北京的北海类似，它并不是真正意义上的海，而是市内的一个小湖。南海位于包头东河区南侧，这里曾是九曲黄河的一段故道，河水改道南移后形成水面和滩头草地，南海北有青山朦胧辉映，南有黄河玉带环绕，湖中碧波荡漾，湖滨水草丰美，天空鸥鸟翱翔，风景独秀，享有"塞外西湖"的美誉。

另一处著名景点是昆都仑水库，位于新城乡前口子的西北山区瓦窑坎地段。昆都仑河从乌拉山和大青山相接的峪口喷涌而出，经昆都仑区泻入黄河。昆都仑水库群山环抱，站在大地之上，望群山翠绿，峰峦叠嶂，湖光涟漪，昆都仑水库仿佛是嵌在群山之上的一颗明珠，真可谓"高峡出平湖"。

又有位于包头市东河区东门外的龙泉寺，寺内有座望河亭，登上望河亭远眺，九曲黄河尽收眼底。黄河在河套平原一带先向东北流，然后折向东流，最后又向南，形成马蹄形，在这一带眺望黄河，别有一番观感。

作为"黄河母亲"最年轻的"儿子"，包头市正值意气风发的青年时期，将在21世纪迎来更辉煌的明天。

14. 哈尔滨 松花江畔的冰城

哈尔滨，素有“冰城”之称。“哈尔滨”这一名称的由来，据有关资料记载，一说为由“哈鲁滨”转化而来，“哈鲁滨”系满语“鱼网”的意思。据说很早以前，这一带是满人的一个较大的捕鱼区，汉人称之为晒网场，后哈鲁滨音讹为哈尔滨。另有一说是从满族语“阿勒锦”转化而来，意为“名誉、荣誉”。近代哈尔滨的兴起始于19世纪末20世纪初，这是一座从来没有过城墙的城市，也是最早具有开放意识、最先具有国际化特征的城市。

哈尔滨市大小河流均属于松花江水系和牡丹江水系，主要有松花江、呼兰河、阿什河、拉林河、牤牛河、蚂蜒河、东亮珠河、泥河、漂河、蜚克图河、少陵河、五岳河、倭肯河等。松花江发源于吉林省长白山天池，其干流由西向东贯穿哈尔滨市中部，是全市灌溉量最大的河道。哈尔滨自产水偏少，过境水较丰，总体是东富西贫。

松花江是哈尔滨的母亲河。作为航运的黄金水道，其水运史源远流长。黑龙江的民族航运业就始于哈尔滨。1906年至1917年，在松花江上先后开

办了 17 家民族航运业，有先登轮船公司、松花江官轮总局、松黑两江邮船局、亚洲轮船股份有限公司等。黑龙江早期的航运业，在船舶营运航线上最初虽有长短，但综合起来看，主要有四条：松花江上游，扶余到哈尔滨；松花江下游，哈尔滨至同江；嫩江航线，齐齐哈尔至哈尔滨；呼兰河航线，哈尔滨至呼兰老城。可见，哈尔滨在当时处于绝对的交通枢纽地位。

在松花江的北岸、哈尔滨的中心，有一个以独特的北方自然风光和浪漫的欧陆风情著称的小岛，它就是著名的太阳岛。岛上古树参天、沼泽连片，蓝天碧水、清泉飞瀑，绿树成荫、鸟语花香。有质朴、粗犷、天然的阳光浴场；太阳岛冰雪艺术馆使游人在炎热的夏日里，也能欣赏到神奇的冰雕雪景；于志学美术馆、俄罗斯艺术展览馆、北方民艺精品馆、太阳岛艺术馆、哈尔滨冰雪文化展览馆等让游人尽睹冰雪画的艺术魅力。冬季的太阳岛，又别有一番景象，一年一度的“中国・哈尔滨国际雪雕艺术博览会”及许多国际国内的雪雕比赛都在这里举办，狗拉爬犁、雪滑圈、雪地自行车、雪地摩托，给游客带来无穷乐趣，令游人流连忘返。

哈尔滨被称为冰城，其冰雪文化驰名中外。冰灯是黑土地的特产，是黑龙江人的骄傲。从盆制冰景到一年一度大规模的冰灯游园会，哈尔滨冰灯艺术日趋成熟，它的影响早已使其驰名世界，风靡海内外。

哈尔滨人文历史悠久，荟萃北方少数民族历史文化于一身，融合中外文化精要于一城。文庙，极乐寺，西方古典建筑，造型奇特的东正教、天主教、基督教的教堂，将市区装扮得多姿多彩。此外，哈尔滨又是一座具有革命传统的城市，周恩来、马骏、刘少奇、杨靖宇、赵尚志、李兆麟等先后在此从事革命活动。

独一无二的冰雪资源，广袤的山川湖泊，浓郁的欧陆风情和粗犷豪迈的北国民风交相辉映，构成了哈尔滨这幅美丽的画卷，这座城市静静地依偎在松花江畔，只待人们去细细地翻阅和品味。

15. 齐齐哈尔
嫩江孕育的鹤城

齐齐哈尔是国家最早兴建的东北老工业基地之一。它位于嫩江中游，松嫩平原西部，是黑龙江西部的政治、经济、文化中心。齐齐哈尔曾先后作为嫩江省、黑嫩省、黑龙江省的省会城市，现在它是黑龙江省第二大城市。因为世界珍禽丹顶鹤常年在这里休养生息，齐齐哈尔被誉为“鹤乡之城”。又因每年结冰的时间近半年，而有“冰上之城”的称号。这里独特的冰雕雪景引人入胜，这里还是我国少有的黑土壤地区之一。齐齐哈尔总面积4.2万平方公里，人口500多万。

据史料记载和考古发现，早在一万年前，已有先民在齐齐哈尔这块黑土地上繁衍生息。他们沿嫩江两岸而居，以渔猎为生。齐齐哈尔自1691年建城，至今已有300多年历史。元代时称之为“卜奎”，含“吉祥”之意。明末，达斡尔族迁到此地，称之为“齐齐哈尔”，有“边疆”、“天然牧场”之意，此名一直沿用至今。齐齐哈尔从建城到发展成为我国北部的一个大城市，嫩江水系的作用不可或缺。

齐齐哈尔市的主要河流有嫩江、诺敏河、雅鲁河、罕达罕河、乌裕尔河、音河等170余条，有湖泊800余个，其中嫩江由北向南横贯齐齐哈尔。这些河流都属于黑龙江流域松花江水系，嫩江是松花江的主要支流之一。

嫩江古称较多，有“难水”、“那河”、“脑温江”等名称。嫩江流域孕育了我国灿烂的北方草原文化。在新石器时代中、晚期，我们的祖先就在齐齐哈尔的昂昂溪一带活动，距今有5 000多年的历史，这里被考古学家称为“昂昂溪文化类型”。齐齐哈尔水上交通北通黑河，东达哈尔滨、佳木斯等地。由于土地肥沃、水草丰盛，现已成为省和国家的商品粮基地、畜牧业基地之一。齐齐哈尔这片黑

土地上特产很多，例如泰来县的花生与绿豆，甘南县的向日葵，还有龙江县的肉羊和依安县的白鹅，这些农副食品大都远销国外，很受欢迎。齐齐哈尔境内还有中国的第一大苇塘。

齐齐哈尔市水资源非常丰富，嫩江穿市而过，湖泊沼泽密布，很适宜于水禽的生活与繁殖。该市东面建有中国第一座旅游兼观鸟圣地——扎龙自然保护区，保护区位于乌裕尔河下游，区内河流漫溢，苇草丛生，是水鸟的天然乐园，有两三百种野生珍禽云集于此，尤以珍稀的丹顶鹤最为有名，故齐齐哈尔有“鹤城”的美称，这里是齐齐哈尔最负盛名的旅游景点。而位于鹤城西部杜尔伯特草原上的连环湖天然水禽狩猎场，是中国第一座水禽狩猎场，总面积达5.6万公顷，有大片的芦苇沼泽和辽阔的水域，自然景色优美，是水禽鸟类栖息繁衍的理想之地。

嫩江中游有一座四面环水的江心岛，那就是齐齐哈尔的明月岛，它因宛如倒映在嫩江之中的一轮明月而得名。它是黑龙江省内的一座著名公园，与哈尔滨市的太阳岛南北呼应，是一对美丽的“姐妹岛”。明月岛幽雅而恬静，古朴而典雅。岛上有序分布着沙丘、沼泽、湖泊，在明月岛的中心位置，有清代仿古建筑万善寺、玉后阁、三清阁、白阳洞、三星阁四座亭台楼阁，错落有致，古色古香。这里还有百年以上的古榆、古桑、古槐，老树新芽，生机勃勃。春夏时节，这里一片鸟语花香。总之，明月岛是北国旷野中难得的一座极具江南诗情画意的小岛。

齐齐哈尔是一个开发潜力巨大的新兴旅游城市。其旅游资源丰富，除了有独特的自然风景外，还有典雅的古建筑和悠久的人文历史遗迹。在齐齐哈尔的风景名胜中，寺庙很多，有卜奎清真寺、大乘寺、万善寺、关帝庙等，其他人文景观还有黑龙江将军府、黑龙江督军署古建筑、金代长城、寿公祠等。

齐齐哈尔市水资源丰富，但十年倒有九年旱，现在全球气候变暖，齐齐哈尔的旱情更是逐年加重，对农业生产的危害也逐年加大。目前，齐齐哈尔全市正在全面加强农田水利建设，包括清淤渠道，加固水库，新建塘坝、蓄水池等，以确保抗旱保苗，农业丰收。

16. 长春 关外春城水滋润

长春始建于公元前 2 000 年，是肃慎国的第二个王都，当时是惠（秽）族的主要聚集地，肃慎的第二代王室在此修建土坯城墙和宫殿，称为“喜都”，此时已有人口约千户，这是最早的长春历史。长春地处关外，但却有“春城”之誉。长春地名的由来，流传的说法有四：一说源于长春花，也是蔷薇的异名；二说因袭辽、金古地名“长春县”；三说沿自“长春堡”这一村落的名字；四说取吉祥之意，“四季长春”。

长春是一座年轻的城市，1800 年清嘉庆朝设治，地处中国松辽平原腹地，是吉林省省会，全省的政治、经济、文化中心。水是城市的灵魂，任何一座美丽的城市与水都有解不尽的缘，长春亦是如此。长春市的地表水属第二松花江水系，松花江、饮马河、伊通河的中下游，还有沐石河、双阳河、雾开河、新开河及卡叉河等流经境内，有波罗泡子、敖宝吐泡子、元宝泡子等主要泡子湖泊 7 处。

伊通河是流经长春市区内唯一的一条河流，伊通河对于长春的经济发展功不可没。南北朝时期，夫余族曾在伊通河岸台地坡坎上修建夫余后期王城。辽金时期，契丹族和女真族在伊通河流域建有万金塔古城、丹城子古城、卧虎古城、小城子古城。长春人民利用河水航运之便，运送粮食、木材，发展贸易，促进了城市发展。据民国初期县署文件记载：“伊通河两岸从亮衣门到喇叭营子，长 200 里，宽里许，长满柳灌木，每年夏季，水清柳绿，鸟语花香，景致宜人。”伊通河支流万金塔小苇子沟两岸树木尤为茂密。清末，由于水文状况发生变化，伊通河失去了航运作用，铁路运输代替了水路运输。现在，政府加大投入，在自由大桥附近拦坝蓄水，使上一段河流河面增宽，又在两岸修建了河边花园，使这一段河岸风光无限。

除了伊通河之外，长春还有美丽的净月潭和波罗湖。净月潭因筑坝蓄水呈弯月状而得名，因山清水秀而闻名，被誉为台湾日月潭的姊妹潭，这里的浩瀚林海，茂密如织，依山布阵，威武壮丽，构成了含有 30 个树种的完整森

林生态体系。这里四季气候分明，夏日是泛舟、垂钓、游泳的避暑胜地；秋日落叶婆娑，层林尽染，色彩斑斓；冬日白雪初霁，千里冰封，潭水凝脂，银装素裹，一派北国风光。而被誉为镶嵌在“八百里瀚海”边缘上的一颗明珠的波罗湖，是长春地区最大的淡水湖泊和唯一的一块大型湿地，面积约为 180 平方公里，被誉为“地球之肾”。远远望去，波罗湖好似一块碧玉镶嵌在大地上。走近波罗湖，远远近近的村屯错落有致，青堂瓦舍，炊烟袅袅。走在波罗湖的南岸，你会看到一个自然的甚至近乎蛮荒的天籁幽境。这里野草遍地，薄芦蓊郁，苇荡如林，环绕着方圆数十里的一潭翡翠般的湖水。

山不在高，有仙则名；城不在久，有民斯兴。长春历城 200 多年，名人辈出。“剑骑临边寨，风尘起大荒”，是章太炎留诗；“故迹何堪重掉手，河山旧似诧凝眸”，是萧军流年忆长春。黑土地上的长春虽略显苍凉，但民风淳朴。清代通判李金镛主政期间，捐钱建了养正书院，起教化之先，兴文化之端。朱光亚、王大珩、蒋筑英等科技精英在长春谱写过华章。长春高新技术产业发展优势也较为明显，是中国光电子技术的摇篮和国家光学科技的发源地、研究基地和国家级生物医药产业基地。长春电影制片厂是新中国电影事业的摇篮。长春也是一座具有革命传统的城市，“为有牺牲多壮志，抗联战士爱国情。英雄捐躯啼杜鹃，尚志英名千古传。”

而今的长春，在母亲河伊通河的滋润下，宛若一颗镶嵌在中国松辽平原腹地的明珠，焕发出美丽的光彩，奔向更美好的未来。

17. 吉林
一城山色半城江

地处长白山脉向松辽平原过渡地带的吉林省吉林市是中国唯一一个市名与省名相同的城市。松花江呈“S”形穿城而过，因康熙诗《松花江放船歌》中有“连樯接舰屯江城”句，而得名“北国江城”。现辖4个城区、4个县级市、1个永吉县、1个国家级高新技术产业开发区和1个经济技术开发区，全市总面积约2.71万平方公里，总人口430万。

吉林市原名“吉林乌拉”(满语)，意为沿江的城市。清康熙十年，宁古塔副都统安珠瑚奉命率领满洲八旗军队3 000多人进驻吉林，依松花江建城，经过两年施工，于康熙十二年，吉林城诞生，至今已有300多年的历史。

吉林市的水资源丰富，是全国少有的不缺水城市之一。发源于长白山的松花江正源在此盘桓曲绕，形成了一个开口朝西的“几”字形，将吉林市区的繁华地段囊括其中。在市区西北山区地带，现建有丰满、白山、红石三个水电站，不仅充分利用了水能，而且形成了“一江三湖”的美丽景色，还为松花江畔的众多城市提供了稳定的水源。

松花江是黑龙江的最大支流、东北地区的大动脉。它本身也有两条主要支流，其一为源于白头山天池的第二松花江，另一为源于小兴安岭的嫩江。松花江流域土地肥沃，盛产大豆、玉米、高粱、小麦。此外，亚麻、棉花、菸草、苹果和甜菜亦品质优良。松花江也是中国东北地区的一个大淡水渔场，每年出产大量鲤、鲫、鳇、哲罗鱼等。因此位于松花江畔的吉林自古就非常适合人类居住，农牧渔业都十分发达。早在三四千年前，这里就是氏族部落集居之地。吉林市地处北方，长期属于女真族、满族等民

族的统治区域。清康熙朝在松花江畔建城之前，这一带一直处于缓慢发展阶段。随着吉林城的建立，并经清代历代帝王的扩建，吉林迅速成为清政府统治松花江、黑龙江流域包括库页岛在内的东北地区政治、经济、文化中心，也是水陆要冲、军事重镇，一直延续到19世纪。在近代中国的苦难历史中，作为东北重地的吉林市经历了战争的浩劫和帝国主义的掠夺，日本政府还在这里建立满洲国。新中国诞生后，吉林古城获得了新生。国家投巨资开发东北，吉林市依托松花江，迅速成为工农业都十分发达的大城市。

“四面青山三面水，一城山色半城江”的吉林也是一座历史悠久的文化名城。女真族与满族在这一带留下了深深的民族烙印。松花江孕育了吉林“同舟共济，激流勇进”的摇橹人精神。它是吉林市各行各业及广大人民精神风貌的高度概括和凝聚，是吉林市城市形象的重要组成部分和标志，更是动员全市人民实现富民强市目标的行动要求和战斗口号。

吉林市区可谓风水宝地，城东有“左青龙”——城市森林公园龙潭山如青龙迤逦而卧，城西有“右白虎”——清朝皇帝望祭长白山的小白山似猛虎熠熠盘踞，城南有“前朱雀”——风景如画的朱雀山钟灵毓秀，城北有“后玄武”——遐尔驰名的北山、玄天岭、桃源山古庙绿树掩映。松花江似玉带，松花湖若明珠，正如清朝皇帝所咏“城临镜水沧烟上，地接屏山绿树头”。从吉林市区溯松花江而上15公里是丰满水电站，冬季江水通过水轮机组，水温升高变暖，每到数九隆冬从水轮机组滚出的水仍有4℃，江水载着巨大的热能，形成了松花江几十里缓缓流经市区不冻的奇观。从水面源源不断地蒸发出水汽，使整个江面雾气腾腾，久不消散。沿江上堤，苍松林立，杨柳低垂，在一定气压、温度、风向等条件作用下，江面上蒸腾的雾气遇冷凝成了雾凇。“吉林雾凇”，是中国四大自然奇观之一(另外三者是泰山日出、钱塘潮涌、黄山云海)。

依稀记得那首歌：“美丽的松花江，波连波向前方。川流不息流淌，夜夜进梦乡。”北国江城吉林的明天，会像松花江一样，更加美丽，更加富庶，走进每一个中国人的心里！

18. 沈阳

辽河文化发祥地

沈阳早在7 000多年前就有人类农耕渔猎，繁衍生息，并创造出了“新乐文化”。西汉时期沈阳已具有城市轮廓，始称“侯城”，唐代改称“沈洲”。1296年，由于沈阳地处沈水（浑河）之北，以中国传统方位论，即“山北为阴，水北为阳”，故改“沈洲”为“沈阳路”，归辽阳管辖。

沈阳位于中国东北地区的南部，辽宁省的中部，主要河流有浑河、辽河、北沙河、新开河、南运河等。丁香湖是其最大的水景公园，湖面面积约3.1平方公里。沈阳还有“三横三纵”的生态水系，“三横”是指蒲河、南小河、东西景观路湿地等三条横向水道；“三纵”一是南沟水库、坝下公园、人工湖至蒲河河道，二是罗家水库下游的排水明渠，三是南小河向北转向后河道。

提及沈阳的水，第一便是浑河，浑河古名辽水，又叫小辽河，还有“红河”之称。浑河源于上游抚顺市清原县长白山支脉滚马岭，流经抚顺、沈阳、辽阳等11个市、县，至三岔口与太子河汇流后入大辽河，再注入渤海。历史上浑河水量充沛，水族繁多，水产丰富，水质清冽。现在，沈阳市60%的工业及生活用水要靠浑河的供给；200多万亩农田要靠浑河灌溉；城区内南运河、北运河、卫工河环城水系均以它为源头；南湖、青年、北陵等公园的湖泊都要靠浑河水调剂。因此，沈阳人民的生存和发展离不开浑河，浑河是沈阳人民的母亲河。

百余年前，浑河是沈阳的黄金运输线。据史料记载，浑河航运在明清两代最为繁荣，起初浑河承担“官渡”的任务，主要运送辽东地区驻军的粮

饷，后来民间航运出现，东北大米、人参、丝绸等生活用品也源源不断依靠浑河水路运输。漫步浑河之滨，能感受到它那如惊雷似奔马的磅礴气势，也能尽享它那鸟落空林、轻舟古渡的幽静黄昏。“浑河晚渡”更是作为沈阳著名的八景之一被历代文人墨客反复吟咏传唱。后来，因河床淤塞，20 世纪初浑河航运逐渐荒颓。如今，沈阳加大对浑河及两岸的治理，浑河流量增加、水质变好，两岸风景如画。五里河公园、沈水湾公园、罗士圈公园相继建成。经过整治，现在的浑河东起王家湾橡胶坝，西至浑南拦河坝，全长 10 公里，河面平均宽 400 米，平均水深 4 米。游客在浑河上乘船畅游，不仅可以欣赏到五里河公园和沈水湾公园的美景，还能感受到沈阳城区日新月异的变化。

沈阳孕育了辽河流域的早期文化，是中华民族的发祥地之一。自设立“候城”起，沈阳的建城史已近 2 300 年，有“一朝发祥地，两代帝王城”之称。1625 年，清太祖努尔哈赤建立的后金迁都于此，更名“盛京”。1636 年，清太宗皇太极在此改国号为“清”，建立清王朝。1644 年，清军入关定都北京后，以盛京为陪都。清初皇宫所在地——沈阳故宫，是中国仅存的两个完整皇宫建筑群之一。沈阳众多文物古迹中，“关外紫禁城”是沈阳的象征。东陵公园是努尔哈赤及其皇后叶赫那拉氏的陵墓福陵，北陵公园内有皇太极及孝端文皇后的陵墓昭陵。另外还有永安石桥、辽代无垢净光舍利塔、长安寺、实胜寺、南清寺、太清宫等。沈阳既是一座历史名城，又是一座历经血与火洗礼的城市，中共满洲省委旧址、北大营原址、“九·一八”历史博物馆、抗美援朝烈士陵园等也成为了著名的爱国主义教育基地。

城市的灵气往往缘水而生，就好比塞纳河之于巴黎，泰晤士河之于伦敦。如今，沈阳的发展日新月异，浑河的作用更加凸显。透过历史的尘埃，我们可以望见作为母亲河的浑河如何滋养了沈阳的一方水土。而经过精心谋划、科学布局的浑河水系建设蓝图，正在为沈阳勾勒着一个风光无限的“滨水长廊”，为沈阳营造着一个壮美开阔的“生态水世界”。以水为邻，与水相伴，呼之欲出的“生态水世界”将悄然改变着沈阳的人居环境。

19. 大连
美丽的北方明珠

美丽而整洁的大连，是一座冬无严寒、夏无酷暑的海滨城市。全市总面积约 1.3 万平方公里，总人口 600 多万。大连的居住环境十分优越，是我国最适宜居住的城市之一。2001 年，大连市被联合国环境规划署评为环境“全球 500 佳”城市。在 2005 年公布的“中国宜居城市榜”中，大连名列第二，仅次于上海。

大连的名称，源于大连湾。19 世纪 80 年代，清朝政府在今大连湾北岸架设海港栈桥，修筑了炮台，设置水雷营，大连地区才成为小镇。之前，它一直作为其他州府的辖区而存在。1899 年，侵占大连的沙俄建造大连港，标志着这座城市的建立。此后，大连长期遭受战争劫难，直至日本投降。1999 年，举行城市百年庆典时，前国家主席江泽民题词道：“百年风雨洗礼，北方明珠生辉。”

大连地处欧亚大陆东岸，东濒黄海，西临渤海，隔海与山东半岛相望，共扼渤海湾，素有“京津门户”之称。其海岸线长达 1 906 公里，是中国北方乃至东北亚地区重要的港口、贸易、工业、旅游城市。

大连地区主要有黄海流域和渤海流域两大水系。注入黄海的较大河流有碧流河、英那河、庄河、赞子河、大沙河、登沙河、清水河、马栏河等；注入渤海的主要河流有复州河、李官村河、三十里堡河等。此外，还有 200 多条小河。

得天独厚的地理位置成就了大连。如今的大连，已形成了以港口为中心、海陆空立体式的综合交通网络。大连港水深港阔，不冻不淤，自然条件

非常优越，是中国北方最大的国际贸易港口之一，也是闻名世界的天然良港，与世界160多个国家和地区的300多个港口有贸易运输往来。

大连境内的水库大约有300多座，“引碧（碧流河）入连”工程按期完成，形成了以碧流河水库供水为主，地下水及城市周边水库为辅的供水体系。城市供水和农业灌溉都得到了一定保障。

但是，因大部分的水库建于“大跃进”和“文革”期间，工程标准低、质量差，成为防汛隐患。目前，病险水库尚未彻底消除，仍是大连防汛工作的一大隐患，主要河道防洪能力也亟待提高。已建成的水利工程设施老化，特别是灌溉工程，灌溉方式落后，效益衰减。

金石滩、旅顺是大连的著名景点。每逢夏季，金石滩的黄金海岸浴场便人气大增，每天都有上万的市民和游客来这里避暑。旅顺（今大连旅顺口区）三面环海，一面与大连市区相连，隔海与山东半岛相望，是国家级重点风景名胜区、国家级自然保护区、国家森林公园和历史文化名城。旅顺曾经是清朝的军事要塞、北洋水师的母港。甲午中日战争和日俄战争都给旅顺在历史上留下了沧桑的一页，因此旅顺又有“半个中国近代史天然博物馆”的称号。

有着“辽南小桂林”之称的冰峪沟，在北方显得格外地引人注目。因为这儿不仅有山，而且有水，这在北方十分罕见。云水渡是冰峪沟风景区的精华所在。冰峪沟的东南面近海，海水形成的雾气经常大团地涌进谷口，使这里云雾笼罩，而英那河则从西北流来，在这里形成了一个美丽的大湖，即云水渡，取“云水共渡”之意。

碧流河风景区以碧流河为依托，以满汉交融的古老文化为底蕴，与秀丽山水相辉映，使这个景区内涵更为丰富。在满汉文化熏陶下，蒋荫棠先生假关东亡国之痛，借古讽今，写下感人至深、久传不衰的千古绝唱——《苏武牧羊》。革命志士关向应，就是碧流河水养育长大的。

另外，为纪念香港回归祖国而建的大连星海广场，位于美丽的星海湾，并由海湾而得名。整个广场的设计都积淀了中国传统文化的精华。巨大的星形广场又与大海相呼应，有星有海，恰为星海湾的象征。

2006年，国际航运中心建设取得重大进展。我国最大的汽车物流码头——大连汽车码头建成投产。继“引碧入连”以后，“引英（英那河）入连”工程也已结束。而“引洋入连”工程的前期论证工作也在积极进行之中。这些必将解决大连人未来的用水之忧。

20. 南京

秦淮玄武映石城

相传公元前472年，越王勾践命范蠡在今南京秦淮河之南约830米处筑城，城周长约1.2公里，面积约0.94平方公里，后称越城，又名范蠡城。它是南京城市的发端。公元229年，三国时期吴国迁都建业，为南京建都之始。随后，东晋与南朝的宋、齐、梁、陈相继建都南京，史称"六朝"。"南京"名称始于明代。历史上先后称为冶城、越城、金陵、秣陵、石头城、建业、建康、白下、上元、升州、江宁、集庆、应天、天京等。南京古时乃"吴头楚尾"，为兵家必争之地。

南京地处长江下游，气势磅礴的长江自西南向东北斜穿市区，辖内有秦淮河、滁河、玄武湖、莫愁湖、石臼湖、固城湖等，流域水网纵横交织，水面约占全市面积的11.4%，水资源极为丰富。但由于降水和水资源在时间和空间上的分布不均匀，加上地形的特点，南京是个容易发生水旱灾害的地区。故从春秋战国时期起，南京人民就开始筑堤围田，开河航运，分泄洪水，挖塘筑坝，蓄水灌田等，在历史上留下了诸多的治水业绩。

秦淮河是南京文明的摇篮，也是南京的第一大河，古称"淮水"，又名"龙藏浦"，全长约110公里。秦淮河分内河和外河，内河在南京城中，是十里秦淮最繁华之地。秦淮河的源头有两处，东部源自句容县宝华山，南部源自溧水县东庐山，两个源头在江宁区的方山埭交汇，从东水关流入南京城。相传秦始皇东巡时，望见金陵上空紫气升腾，以为王气，于是凿方山，断长垅为渎，入于江，后人误认为此水是

秦时所开，所以称为“秦淮”。秦淮河两岸全部是古色古香的建筑群，飞檐漏窗，雕梁画栋，画舫凌波，桨声灯影，人文荟萃，市井繁华。夫子庙、得月台、文德桥、石坝街、乌衣巷、朱雀桥、秦淮人家等依河而建，秦淮八艳、秦淮八绝也是名满天下，真可谓十里秦淮，六朝金粉。唐朝诗人刘禹锡游金陵，曾作《乌衣巷》诗一首，慨叹历史变迁：“朱雀桥边野草花，乌衣巷口夕阳斜。旧时王谢堂前燕，飞入寻常百姓家。”

玄武湖位于南京市东北城墙外。玄武湖古称桑泊、秣陵湖、后湖、昆明湖等。相传南朝刘宋年间，有黑龙出现，故称玄武湖。玄武湖湖岸呈菱形，湖内有5个岛，由桥堤将梁洲、环洲、菱洲、翠洲、樱洲连在一起，园内亭、台、楼、阁、厅、廊、馆、榭疏密有致，云光岚影倒映，鱼跃鸢飞，画舫游弋。环洲烟柳、樱洲花海、翠洲云树、梁洲秋菊、菱洲山岚，风姿各具。

秦淮河与玄武湖共同见证了南京的繁华史和血泪史。孙权武昌称帝，仍定都建业；岳飞的忠贞挽救不了宋朝的厄运，牛首山上浩气长存；郑和下西洋的壮举弘扬了大国的威仪；长江边上洋务运动的兴起并未能在这片土地上拯救破落的封建帝国；30万遇难同胞的生命和这座城市在日军铁蹄下屈辱的历史，随滔滔江水东逝去。

历史的厚重给南京平添了几分古色古香。吴王孙权演绎了一个濒江文化的故事；沧海赋诗的建安风骨给金陵平添了几份阳刚，几分豪情；祖冲之的名字命名了月球的山脉；顾恺之的江南画卷倾迷了世人；陶弘景、范缜、郭璞、葛洪教化了华夏……数不尽的风流人物写意着金陵的过往。

如今，南京不自恃于自己历代故都的高贵身份，却也不失帝王的气质。在这竞争日益激烈的社会，它依然保持着不紧不慢的节奏。而秦淮河、玄武湖的治理，纳入城市保护名录的21条河流，必将带给人民一个更加山清水秀的锦绣金陵。

21. 苏州 小桥流水天堂美

享有“上有天堂，下有苏杭”之美誉的苏州市位于江苏省东南部的长江三角洲平原，东靠上海，南接浙江，西濒太湖，北临长江。面积8 488平方公里，城区为1 650平方公里，总人口约620万。

苏州是中国的二十四座历史文化名城之一，公元前514年吴王阖闾建都于此，筑“阖闾城”，其规模、位置至今基本未变，为世界少有。亚热带季风气候使其四季分明，全年平均降水量偏高，无霜期在230天左右。苏州全市地势低平，平原面积占总面积的54%，平均海拔4米左右，东南部地势低洼，西南部多小山丘。吴县穹窿山主峰高351.7米，为全市最高点。

苏州是著名的江南水乡。境内河流纵横，湖泊众多，京杭运河贯通南北，望虞河、娄江、太浦河等连接东西，阳澄湖、昆承湖、淀山湖等散布其间，太湖水面90%左右都在苏州市境内，全市水面积占总面积的42.5%。苏州因而被誉为“东方威尼斯”。

苏州城始建于公元前514年，距今已有2 500多年历史，目前仍坐落在春秋时代的位置上，基本保持着“水陆并行、河街相邻”的双棋盘格局，“三纵三横一环”的河道水系和“小桥流水、粉墙黛瓦、史迹名园”的独特风貌。苏州古城如同坐落在水网之中，街道依河而建，建筑临水而造，前巷后河，形成“小桥、流水、人家”的独特风貌。从地理环境来说，苏州沿江临海，傍湖枕河，是著名的水城，“君到姑苏见，人家尽枕河。古宫闲地少，小桥水巷多。”水既是苏州的生命之源，也是苏州文化的发生和发展之流。水文化是苏州文化的鲜明特征和个性标志。曾经有人就苏州水文化的精神内核作过详细的阐述：太湖之水——涵蓄，有容乃大；长江之水——奔腾，一往无前；运河

之水——坚韧，源远流长；园林之水——平静，清可鉴人。苏州的水养育出苏州人——坚韧、开放、和谐、进取、民主、法治和具有创造性，也使苏州在经济发展和文明进步的过程中熠熠生辉。

水是吴文化的渊源，见证了苏州古城灿烂的历史。水养育着世世代代在此生息繁衍的吴门雅士，使苏州人充满灵动和智慧，也使苏州人柔情万种，文人辈出；水的流淌让语言汩汩有声，苏州人说话以吴侬软语著称于世，为语中珍品；水造就了苏州人崇尚精致细腻的行为风格，以苏绣为代表的苏州传统工艺早已蜚声中外。而鲜为后人所知的香山木匠蒯祥，其技艺高超，他建造的颐和园百年闻名；苏州街抢滩北京，形成了一道江南水乡、临河街市与清漪园皇家园林融为一体的独特风景线。

千百年来，苏州人文荟萃。在古代出现了以孙武、范仲淹、沈括、唐寅、顾炎武、蒯祥等为代表的政治家、思想家、军事家、科学家、艺术家群体。说起旅游，集建筑、山水、花木、雕刻、书画等于一体的苏州园林，又是人类文明的瑰宝奇葩，拙政园和留园入列中国四大名园，并同网师园、环秀山庄与沧浪亭、狮子林、艺圃、耦园、退思园等 9 个古典园林，先后被联合国教科文组织列入《世界遗产名录》，古镇同里、周庄、甪直正在申报世界文化遗产。

在改革开放春风下，古老的苏州正焕发出勃勃生机，确立了“科教兴市，外向带动，可持续发展”战略，形成了外向型经济、乡镇企业两大优势，培育了以高新技术为主的新的经济增长点，人才、产业、环境等新优势已见端倪。苏州正在成为以高新技术产业为主导的现代制造业基地，生产科研紧密联合、各类人才聚集的技术创新基地，科技含量高、外向度高、经济效益好的现代农业基地，融人文景观与自然风光于一体、生态环境优美的旅游度假胜地。21 世纪的苏州将是“经济繁荣、科教发达、生活富裕、环境优美、社会文明”的发达地区。

22. 无锡 河湖山泉胜景地

无锡地处江苏省南部、中国经济发达的长江三角洲中部，北靠长江，南临中国第三大淡水湖——太湖，贯通中国南北的京杭大运河在此交汇。其地形为平原地带，土地肥沃，物产丰富，渠流纵横，河网密布，自古就是有名的粮仓，素有布、米、丝、钱四大码头之称。19世纪中期，无锡和九江、长沙、芜湖合称为“中国四大米市”。

无锡历史悠久，是一座具有3 000多年历史的古城。无锡之名最早见于《汉书》，相传周平王东迁时，在惠山东侧发现了锡矿。公元前224年，秦始皇大将王翦在锡山发现一块石碑，上面刻有：有锡兵，天下争；无锡宁，天下清。“无锡天下宁”表达了人民渴望安宁太平的生活，因此“无锡”的名字就这样流传下来，成为城市的名称。

据《史记》记载，公元前11世纪末，周太王的长子泰伯从陕西来到江南，定居梅里（今梅村镇），带来了黄河流域先进的耕作技术，建立了江南最早的古国“勾吴”。他带领当地居民兴修水利，相传他率领众人开凿了长数10公里的泰伯渎（俗称伯渎港），还栽桑养蚕，促进了中原文化与江南文化的融合，后来其子孙在这里建立吴国，太湖成为“吴中胜地”，孕育了后世灿烂辉煌的吴文化。而无锡地处太湖之滨，素有“太湖明珠”的美誉。

太湖常被人比作无锡的母亲湖。“太湖美呀，太湖美，美就美在太湖水。”这首优美的歌曲《太湖美》已被传唱了

20余年，现已被确定为无锡市市歌。太湖水美绝非浪得虚名。太湖之水浩瀚、坦荡、气势磅礴。临湖远眺，烟水迷茫，水天相连，“帆影见而忽无，飞鸟出而复没”。由于太湖是大型浅水湖泊，湖面开阔，容易形成波浪，故波虽多而浪不高。湖中的七十二峰更为太湖水增色不少。太湖附近的石灰岩地貌，多千奇百怪的溶洞，宜兴善卷、张公、灵谷等岩洞，又是太湖一奇。

一泓太湖，还孕育了万般宝物。水中有珍珠、莼菜、银鱼、鳜鱼，山间则有名茶佳果碧螺春、柑桔、水蜜桃，另有太湖石名扬四海。

太湖风景区，属于国家级风景名胜区。太湖的名胜古迹集中在太湖北岸，最著名的有鼋头渚、蠡湖。鼋头渚，独占太湖风景最美一角，山清水秀，天然胜景。鼋头风光，天然浑成，为太湖风景的精华所在，故有“太湖第一名胜”之称。蠡湖，因范蠡而得名。相传2 000多年前的春秋时期，越国大夫范蠡帮助越王灭吴之后，携佳人西施于此泛舟，后人为了纪念范蠡，便以其名命名此湖。早在民国初年，蠡湖就建有简朴的“梅埠香雪”、“柳浪闻莺”、“南堤春晓”、“曲渊观鱼”、“东瀛佳色”、“桂林天香”、“枫台顾曲”、“月波平眺”等景点，号称“青祁八景”。

也有人把古运河——京杭大运河比作无锡的母亲河，它是无锡数千年文明的“活化石”。京杭大运河自隋朝起，横贯无锡80里，西北起于五牧，东南迄于望亭，而以吴桥经西水墩至清名桥段，最具古运河的独特风情。

无锡的河、湖、山传承了3 000年的历史文脉，河湖流经之处，无不积聚着丰富的历史人文气息。这里是吴文化的发祥地，历代名人辈出，古代有画家顾恺之、倪瓒、王绂、邹一桂，有诗人李绅、尤袤，有文学家邵宝；近现代有画家吴观岱、胡汀鹭、贺天健，有书法家吴芝瑛，有民族音乐家杨荫浏、民间音乐家华彦钧(阿炳)等，他们都是享有盛名的文化名人。无锡是锡剧的诞生地，《锡剧·珍珠塔》在全国都广受好评。民乐方面，阿炳的《二泉映月》引人入胜，动人心弦。

受惠于水，同样要防患于水。近年来，无锡计划总投资20亿元，加大了城市防洪工程和调水工程的建设力度。2004年，该市全面启动了仙蠡桥水利枢纽、江尖水利枢纽两大工程。

23. 扬州
江淮之间水扬波

扬州，地处江苏中部、长江下游北岸、江淮平原南端。南部濒临长江，北与淮安接壤，东和泰州毗连，西与天长、南京交界。扬州既是风景秀丽的景城，又是人文荟萃的文化名城、历史古城。

扬州至今已有2000多年的历史。大禹分天下为九州，淮海东南一带因为"州界多水，水扬波"，故称此地为扬州。周敬王三十四年，吴王夫差为伐齐，辟邗沟通江淮间水道，并依此建立邗城，扬州城市由此发端。隋炀帝开辟南北运河的壮举对扬州的地域发展产生了久远而积极的影响。京杭大运河为后世历代所利用，成为南北交通的大动脉，促进了南北经济文化的交流，恩泽至今，对巩固国家统一和社会经济的发展都发挥了重要作用。

扬州水系发达，境内有长江岸线80多公里，沿岸有仪征、邗江、江都。京杭大运河纵穿腹地，全长约145公里，由北向南沟通白马、宝应、高邮、邵伯四湖，最终汇入长江。扬州城区位于长江与京杭运河交汇处，水运交通发达。

扬州的水联系着它的兴衰，邗沟的凿通，贯连了长江与淮河之间的航运，为扬州城市的发展创造了条件。邗沟南起长江，北抵淮安，是如今大运河全线最古老的一段。汉高祖刘邦封侄儿刘濞为吴王，建都于此，成就了古扬州的丰饶。隋唐两代是扬州繁荣的鼎盛时期，京杭大运河的凿通促进了南北经济文化的交流，使得扬州一度成为全国的经济文化中心，有"雄富冠

天下”的美誉。扬州曾三度繁荣，近世的盐运造就了扬州“处处是烟波楼阁”的胜景。发达的水运决定了扬州城市发展的广阔前景，京杭大运河便成了扬州历代人民的骄傲。

扬州还是一座井城，地下水资源丰富，城市多井，现存有水井600余口。说到扬州的水，不能不提及扬州的雨。古人“腰缠十万贯，骑鹤上扬州”，为的是一睹风情万种的“三月烟花”。这里所说的“烟”，既含有柳絮的成分，也含有烟雨的表述，是“烟雨朦胧”的概括。

“清秀婀娜，现几分纤柔羞怯”是瘦西湖的真实写照。扬州美，美在瘦西湖，六朝以来瘦西湖即为风景胜地。乾隆年间，这一带更是“繁弦急管，金勒画船”，其繁盛程度堪比杭州西湖，成为达官贵人游乐观玩的胜地。瘦西湖的雅致更在于它的园林景致，在于它温婉的美，曾有人把西湖比作丰满妩媚的少妇，而把瘦西湖比作清秀婀娜的少女，透着几分纤柔娇羞，也许这正是瘦西湖所独具的美。虹桥、长堤春柳、桃花坞、小金山、五亭桥、白塔等景点将瘦西湖点染得无比美艳。

扬州，风光因水而增色，历史因水而兴衰，城市因水而得名，文化因水而滋润。

数不尽扬州过往的辉煌，道不尽它的历尽沧桑。堤坝的巩固、河流的治理，表明了扬州人重新利用水、更好地利用水的决心。作为全球“最佳人居城市”之一，今日的扬州将迈向更加和谐、更加宜居、更加美好和辉煌的明天。

24. 镇江

江河交汇有三山

镇江市位于江苏省西南部、长江下游南岸，地处长江三角洲的顶端。它临江近海，世界闻名的“黄金水道”——长江和京杭大运河在此交汇，水陆交通极为便利，为国家级水路主枢纽城市。

镇江是一座具有3 000多年历史的江南名城，在历史上曾多次易名。而镇江这个名字一说是因镇江北部沿江一带地势低洼，在古代常受水害，所以在水名之前加一吉祥词以示祈福而得名。二说是宋代统治者认为镇江的地理位置优越，为镇守江防之地，故取名“镇江”。1987年，镇江港正式对外国籍船舶开放。从此，“镇江”之名更加声誉大振，蜚声中外。

镇江全市河流60余条，总长700余公里，以人工运河为多。河流可分为长江沿江水系、秦淮河水系和太湖湖西水系三部分，而秦淮河和太湖水最终通向长江。流经市区的主要河流，有运粮河御港、古运河。秦淮河水系流域面积约960平方公里，主要河流有句容河、南河、通济河、香草河等。全市湖泊为数不多，较大的主要有丹阳练湖和句容赤山湖，在历史上起蓄水作用。

镇江港是我国的主要港口之一，是长江三角洲地区对外开放的重要贸易口岸之一，港口分为高资港区、龙门港区、镇江港区、谏壁港区、大港港区、高桥港区、扬中港区。镇江港主要为镇江市、江苏省的经济发展和对外贸易服务，为镇江市沿江经济带的开发服务，为长江中上游地区大量原材料和外贸物资中转运输服务。近期，镇江港重点加快推进大港港区三期工程建设和中盛粮油等其他码头的建设改造，加快建设港区西侧集装箱和矿石中转泊位，形成以集装箱、大宗散货及件杂货物资等海江河联运、水陆联运的规模化运输，并为镇江开发区服务；集约化开发建设龙门港区，形成以矿建材料、非金属矿石等大宗散货及件杂货中转运输为主的综合性公用港区；近中期结合大型沿江工业开发，适时起步开发高桥港区、扬中港区。镇江港将逐步建成为以能源、原材料等大宗散货和集装箱运输为主的多功能综合性

港口。

在镇江，浩淼长江和金山、焦山、北固山一并组成了壮美的“天下第一江山”图画；南山国家森林公园将“城市山林”的余韵铺展开来好似幽深绵长的画卷；茅山、宝华山，远近错落，大气磅礴，有如风景别致的水墨云烟。江中绿岛景美怡人，像翡翠浮江；运河两岸杨柳依依，别样风情。金山，因为白娘子而浪漫，白娘子为救许仙，“水漫金山”，成为自古以来在镇江百姓中口耳相传的最美丽的故事，描绘出了这吴风楚韵之地人们的大爱之心。

金山还存有天下第一泉——中泠泉。唐代评茶专家陆羽品中泠泉水为“天下第一”，后唐名士刘伯刍分全国水为七等，扬子江的中泠泉为第一，从此中泠泉被誉为“天下第一泉”。用此泉水沏茶，清香甘洌，相传有“盈杯不溢”之说——贮泉水于杯中，水虽高出杯口二三分都不溢，泉水绿如翡翠，浓似琼浆，其醇可知。

悠久的历史孕育了镇江璀璨的文化，这里不但是中华民族最早的繁衍生息地之一，而且是吴文化的重要发祥地。北宋科学家沈括在这里写就了科学巨著《梦溪笔谈》；著名文学评论家刘勰以《文心雕龙》闻名于世；米芾隐居南山，创立了让世人称羡的“米氏山水画”；李白、范仲淹、陆游、王昌龄等文人也曾流连忘返；“明月几时有，把酒问青天”，苏东坡留下了千古名句；在这里，孙权成就了一番霸业，也留下了“赔了夫人又折兵”的遗憾；这里还诞生了一代数学大师华罗庚，以及“桥梁之父”茅以升……所以，古人盛赞：“京口江山，代不乏材……”

镇江人像经营香醋一样经营着自己的城市，整个城市仿佛都弥漫着一丝香香的、涩涩的、酸酸的味道，从长江边到北固山，从茅山到金山寺，从古至今，香飘四海。今日之镇江，江河汇聚，像一双有力的手臂，托着它，似盘马弯弓，蓄势待发，准备书写城市新的历史。

25. 南通
耀眼的江海明珠

南通，是一座有着悠久历史的文化名城。南通境内一马平川、河网密布、土壤肥沃、雨水丰沛，自然条件比较优越，历来被称为“鱼米之乡”。5 000 多年以来，生活在这片神奇的江海大地上的人民，用他们的勤劳和智慧谱写了“崇川福地”的辉煌历史。

南通位于江苏省东南部，处于江海交汇处，正当长江入海口，倚长江口北侧，东与东北面临南黄海，北接盐城市，西靠泰州市，南以长江为界与张家港市、常熟市、太仓市以及上海市的崇明县隔江相望。南通市三面临水，形同半岛，呈菱形状，素有“江海明珠”、“扬子第一窗口”之美称。其境内河流交织成网，分为淮河水系与长江水系。

早在 1 000 多年前的南北朝时，现在的南通市还处在一片茫茫江水之中，只是万里长江入海口的一块沙洲，史称“胡逗洲”。沧海桑田，由于泥沙的大量沉积，水中沙洲逐渐与大陆相连，形成一片新生的陆地。后周显德五年(958 年)，掘土筑城。城外有护城河，即今天的濠河。

据州志记载:“濠河绕城四匝，与市河(市内之河)相通，城北、东、南、西南阔凡几十丈，北接淮水，西汇江河，东达诸场(沿海多盐场)。”又云:“州城仅周六里，而濠特深广，望之汪洋，足称巨观。”濠河环绕着南通老城区，距今有千余年的历史，是国内仅存的四条古护城河之一。

现在的濠河是国内保留最为完整且位居城市中心的古护城河。千百年来，它担负着防御、排涝、运输和饮用的重任，被称为“人身脉络”。而宽窄有

序的水面，清澈的水流，迂回荡漾、鸥飞鱼翔的自然美景，如同人间仙境；它形如葫芦，宛如珠链，被誉为通城的“翡翠项链”。沿河两岸有全国最早的博物苑和韬奋纪念园、张謇纪念馆、沈寿艺术馆、赵丹纪念亭、王个簃纪念馆、蓝印花布艺术馆等。现代建筑群与历史文化建筑相映生辉，散发出浓郁的文化气息。入夜，华灯齐放，泛舟濠河，可体验“城在水中坐，人在画中游”的美妙意境。

南通与水是共通的，“城成即有河”，市内小河纵横交错，可通舟楫。而南通人处处都彰显出水一般的灵性。历史上，南通人文荟萃，名贤辈出。范仲淹、王安石、米芾、文天祥等诸多名家在南通留下了不少传世之作和轶闻逸事。三国名臣吕岱、宋代杰出教育家胡瑗、明代名医陈实功、清代“扬州八怪”之一的李方膺、清末状元张謇等名人为南通历史增色添彩。现在的南通是著名的教育之乡、体育之乡、建筑之乡。这里还坐落着中国第一个博物馆——南通博物苑，中国的博物馆事业正是从南通发端的。

南通经济的发展得益于水上交通。因滨江临海，河江海贯通，水运一向兴隆。早在唐代，南通就已是一个航运的港口。宋代以后，南通成为苏北漕粮、海盐运输的枢纽。明清时期，南通随着植棉业和纺织业的兴起，成为苏北平原重要的商品集散中心。历史上，南通就已经与世界各地有着较多的经济、文化、教育等方面的交往。元朝时，意大利旅行家马可波罗在其所著的《马可波罗行记》中就记述了当时通州繁华富庶的景象。

近代的南通航运日趋兴隆，但在日军侵占南通和国民党发动全面内战时期，港口衰微破败，经营困难。解放后，政府大力建设南通港，南通港成为长江全线首批对外开放港口之一。现在，南通港已成为全国十大港口之一。此外，2007 年 6 月 18 日，苏通长江公路大桥实现南北合龙全线贯通。苏通大桥跨径1 088米，成为世界第一大跨径斜拉桥。昔日的滨江小城，已成为闻名遐迩的新兴工业港口城市，江海明珠正日益放射出璀璨的光彩。

26. 徐州 傍运河五省通衢

徐州，地处淮海地区中部，隶属于江苏省，全市人口900多万，是淮海地区最大的城市，苏、鲁、豫、皖边区组成的淮海经济区的中心。徐州地理位置独特，“东襟连港，西接中原，南屏江淮，北扼齐鲁”，素有“五省通衢”之称。京沪、陇海两大铁路在此交汇，京杭大运河贯穿徐州南北，北靠微山湖。公路四通八达，北通京津，南达沪宁，西接兰新，东抵海滨，为全国重要的水陆交通枢纽，联系着各路经济往来。

徐州古称“彭城”，为华夏九州之一，有着5 000多年的悠久历史。据传当年尧封彭祖于此，故得名“彭城”。西楚霸王曾在此建都，此后一直为历代治所。

徐州有3条水系、1条暗河、1个湖泊和72个山头，这在全国所有的大中城市里并不多见。徐州的水系在国内地级市中也是最复杂的。徐州的发展

与徐州发达的水系有着极大的关系，从古代起，徐州就有畅通的水路。南宋之前，徐州城的北面与东面有泗水环绕，西面有汴水流过。从泗水北上，可通金乡、曲阜、定陶；从汴水向西，可达开封、洛阳；沿泗水南下，可到淮阴(今淮安)。这些由徐州可以通达的城市，当时都很重要，有的也是兵家必争之地。徐州的魅力得益于历史传承和山水城林，但是千百年来，以古黄河为主的众多水域既给徐州人民带来福祉，也曾一次次带来灾难和痛苦。南宋时，黄河决口，夺泗水而流，给百姓带来了极大的灾难。元代之后，泗水纳入京杭大运河水系。内以自成体系的古黄河为分水岭，往北属沂沭泗流域，以南为淮河流域。明朝时，徐州就已有正式的码头，每年经徐州北上的粮船多达1.2万余艘。元、明、清三个朝代虽都建都北京，其粮食却来自长江下游，如这条水上大动脉阻塞，北京便“嗷嗷待哺”，京师危矣。而徐州便是这条水上大动脉的必经之地。徐州北关牌楼一带，古时便是大码头，而牌楼和鼓楼便是码头的重要标志。

徐州悠久的历史积淀了厚重的文化，彭城大地上留下的文化遗产和名胜古迹不胜枚举，其中尤以汉兵马俑、汉墓、汉画像石——“汉代三绝”为代表的两汉文化最为夺目，极具艺术欣赏和考古价值。每年徐州都举办汉文化国际旅游节。而以云龙山水、泉山森林公园为中心的风景区兼有“北雄南秀”之美，美若西子，秀比江南，是苏北著名的风景胜地。

徐州钟灵毓秀，人杰地灵，名人辈出，彭祖是徐州文化的起源；汉高祖刘邦、楚霸王项羽，在这里驰骋沙场；著名的医学家华佗也出生于此；多少帝王和名臣在这里演绎历史。徐州亦是一个“星象之地”，无数的艺坛、体坛新星在这里升起。

徐州极佳的地理位置以及丰富的物产资源给它的发展带来了有利的条件。它是全省的煤炭、电力、农产品供给基地，一直保障着全省的经济发展。如今，随着政府对徐州经济发展的更加重视，各项投资开发项目的引进，加上交通体系的愈加完善，徐州，这一古朴的城市正焕发着它新的风采。

27. 杭州
西湖美景胜天堂

杭州历史悠久，自秦时设县治以来，已有 2 200 多年历史。杭州是华夏文明的发祥地之一。早在 4 700 多年前，就有人类在此繁衍生息，并产生了被称为文明曙光的“良渚文化”。杭州曾是五代吴越国和南宋王朝两代建都之地，是中国七大古都之一。杭州古称钱唐，隋朝开皇九年(589 年)废钱唐郡，置杭州，杭州之名首次在历史上出现。

杭州水系众多，尤值一提的是钱塘江和西湖。

钱塘江旧称“浙江”，是浙江省最大的河流。全长约 410 公里，流域面积 42 万平方公里，流经杭州市闸口以下注入杭州湾。钱塘江支流众多，水系发达，蕴含丰富的水利资源，已建成新安江、富春江、黄坛口等水电站。其干流自梅城以上通轮至建德市白沙；梅城以下，百吨级船只终年可在杭州与兰溪之间的江道上行驶。钱塘江为杭州的经济发展创造了良好的条件。

钱塘江口呈喇叭状，海潮倒灌，形成著名的“钱塘潮”景观。钱塘潮也称“海宁潮”，每年农历八月十八日在浙江省海宁所见到的海潮最为壮观。“钱塘涌潮，涛如连山喷雪来”。壮阔的钱塘潮吸引了众多游客，观潮风俗由来已久，钱塘江弄潮活动也愈具规模。潮水的奔腾、激越，弄潮儿的雄心、气魄、永不服输和不甘示弱，正是杭州城市人文气息的体现。

另一处更能体现杭州城市人文特色的就是紧挨着钱塘江的西湖。“欲把西湖比西子，浓妆淡抹总相宜。”西湖的美是柔和而富于诗情画意的。阳春三月，莺飞草长，苏堤白堤，桃柳夹岸。两边是水波潋滟，游船点点，远处是山色空蒙，青黛含翠。西湖十景形成于南宋时期，基

本围绕西湖分布，有的就在湖上。苏堤春晓、曲苑风荷、平湖秋月、断桥残雪、柳浪闻莺、花港观鱼、雷峰夕照、双峰插云、南屏晚钟、三潭印月，西湖十景各擅其胜，组合在一起又能代表古代西湖胜景精华，所以无论杭州本地人还是外地游客都对此津津乐道，流连忘返。

自古以来，江南的老百姓都是崇水喜水的。据《尸子·君治篇》记载，古人以为“水有四德”。由于古人的崇水文化的影响，至今在杭嘉湖地区仍有这种风俗的遗存。在今德清市封、禺两山间的“防风古国”有始建于唐末五代的“防风庙”，是纪念治水英雄防风氏的，就在他的神座之下，便有一孔水井。这一带地方的民间，从来不祭祀大禹，而总是祭祀防风氏，据说这是因为防风氏助大禹治水有功，而在禹会天下诸侯于会稽时，因防风氏“迟到”，为显示禹的权威，“示天下悉属禹也”而枉杀防风氏的缘故。虽然五常乡有禹王庙遗址，但一般余杭的民俗，多上德清二都“防风庙”和余杭县廉德乡“防风庙”去敬神。

杭州蒋村还有龙舟竞渡的民俗活动，名为“龙舟胜会”。清光绪六年的《余杭县志》卷37《风俗》记载：“端午，南渠及苕溪上下制龙舟为水嬉。”每年的五月初五端午节，是蒋村龙船胜会的高潮，锣鼓喧天，几乎就在同一时刻，各村的龙船似离弦的箭一样从四方的河港里突然窜出，往深潭口汇集，众多的龙船在小小的水域里熙熙攘攘，划进窜出，煞是热闹。蒋村龙船竞渡，虽是一种娱乐，一种游戏，但谁又能说它不是水文化的一种体现呢？

徐此之外，杭州还有西湖荷花节、西湖中秋赏月晚会、西湖国际烟花大会等民俗活动，于此类佳节中，杭州的风土人情、民俗文化得到了充分的体现。

杭州水清，水美，水柔。杭州的水打造了这样一个柔美的城市，不仅为城市本身塑造了独特的形象，为中国的发展作出了相应的贡献，也为人们创造了一个清幽、典雅的居所。杭州的水还塑造了杭州人恬静温文、柔中带刚的性格。

28. 绍兴 鉴湖越台名士乡

绍兴古称会稽，始建于公元前 490 年。境内的马鞍市桥仙人山、凤凰墩新石器时代文化遗址，距今约 5 000 年。那时的绍兴先民，依山濒海，劳动生息。犁耕技术已经普及，并种植了以水稻为主的大量农作物，创造了灿烂的史前文化。相传 4 000 多年前的夏朝，大禹为治水曾经两次躬临绍兴，据《史记·夏本纪》记载："或言禹会诸侯江南，计功而崩，因葬焉，命曰会稽。"在今市郊会稽山，相传有大禹的葬地。

春秋时代，越王勾践建都绍兴、卧薪尝胆时，时称"越池"，此地也一度成为我国东部政治文化中心。汉代置都稽州，隋朝改称吴州，唐朝又改称越州，后宋朝把越州作为临时首都，改年号为绍兴，并把越州改名为绍兴，绍兴由此得名，并沿袭至今。

绍兴境内河道密布，湖泊众多，有大小河流 1 900 多公里，桥梁 4 000 余座，向以"水乡泽国"享誉海内外。绍兴市地处浙东沿海，南依天台山，北濒杭州湾，境内主要有汇入钱塘江的曹娥江、浦阳江、鉴湖水系。浙东运河东西横贯北部，与南北向河流沟通，交织成北部平原区河密率很高的河网水系。此外，上虞尚有部分河溪属于甬江水系，诸暨尚有很小部分属壶源江，经富阳直接注入富春江。

因水而设桥，因水而造船，因水而酿酒，因水而人杰地灵。

绍兴的桥不但品类齐全，而且在桥型、建桥工艺、技术水平等方面都达到了所处时代的高峰。现在这些桥的人文价值、考古价值、艺术价值、旅游价值正在得到深入研究开发。绍兴也被称为中国的"古桥博物馆"。

船也让绍兴尽显风流。绍兴的水与多姿多彩的船结合在一起，相互映

照，更加动人。绍兴的龙舟又狭又长，划起来其快无比。每逢龙舟比赛，气势就更为壮观。只听一声“开”，鼓声起，但见百桨翻飞，又快又威风。山里人用竹筏作为运输工具，竹筏随清浅的小溪悠然而下，听潺潺溪水，看起伏群山，品甘洌香茗，又是别有一番情趣。所以绍兴“越州十景”中就有“云门竹筏”一景。而绍兴特有的船是乌篷船，又称脚划船，修长的船身，乌黑的篷，用手中的桨作舵，双脚踩着一柄长桨，船随着长桨的踩动，徐徐前行。现代散文大家周作人先生对故乡的乌篷船十分钟爱，他在散文《乌篷船》中对这种船作了非常详尽的介绍。此外，绍兴的航船、渡船、渔船更是特别、有趣。

绍兴的水还成就了中国的黄酒文化，绍兴的老酒需要鉴湖的水酿造才来得纯正。绍兴的老酒关系着绍兴的嫁娶文化，联系着千百年的传统。外来客人常被邀请喝黄酒，可见黄酒之于绍兴人的意义。

这方水土，还以其独特的灵性，孕育了众多的名人，使绍兴成了“名士之乡”，并由此形成了“名士文化”。除了先秦时期的夏禹、勾践外，秦汉时期，更是群星灿烂。西汉司马迁曾到绍兴，“上会稽，探禹穴”，事载《史记》。东汉思想家王充，其著作《论衡》可谓立唯物主义思想之巨作。东晋大书法家王羲之，他的《兰亭序》为盖世之作，兰亭之名闻天下，即由此而得。唐代诗人贺知章、朱庆余、李白、杜甫、白居易等，亦慕名来游稽山、鉴湖、若耶溪，并留下不少诗篇。

“山清水秀之乡，历史文物之邦，名人荟萃之地”，绍兴以这样的盛名，为历代的人们所称颂。毛泽东有诗赞曰：“鉴湖越台名士乡。”

29. 宁波
濒海枕江一水城

宁波，位于浙东，地处东海之滨、长江三角洲南翼，是具有 7 000 多年历史的“河姆渡文化”的发祥地。现在，它是浙江的三大经济中心之一。全市总面积约 9 400 平方公里，人口 600 多万。

宁波在几千年前的夏少康时期已有建制，当时属古扬州之域。唐时称明州，得名于境内的四明山。在明初，为避讳国号“明”，改名宁波府，属定海县，取“海定则波宁”之意。之后“宁波”之名沿用至今。甬，是宁波的简称，因境内有甬江而得名。数百年来，甬江一直扮演着宁波“母亲河”的角色，担当着饮水之源和航运的重任。

宁波是江南水乡，境内河流众多，境内水系主要是由甬江流域和象山港、三门湾地区独流入海水系组成。甬江水系是浙江省八大水系之一，其主要支流有余姚江和奉化江，这两条支流在市区的“三江口”汇合而成为甬江，向东北流入东海。此外，宁波还有许多小河流，几乎每走十分钟就能看到有小河静静地流过。

宁波四通八达的水系不但有利于农业的发展，而且对宁波水运贡献巨大。宁波有长达 1 500 多公里的海岸线，港湾曲折，有三门湾、杭州湾、象山港、北仑港等。宁波自古就是以港兴市，早在唐代，宁波已经成为与日本、新罗及东南亚一些国家通商的主要港口。论及中国古代对外交通之港口，向来是以广州、泉州、明州（今宁波）鼎足而三，现在这三个城市正准备联合申报“海上丝绸之路”中国港口世界文化遗产。现在的宁波是浙东交通枢纽，特别是有着“东方大港”之称的北仑港，已经成为著名

的深水良港，享誉国内外。而宁波港是中国第四大港，是一个集内河港、河口港和海港于一体的多功能、综合性的现代化深水大港，已与世界上 90 多个国家和地区的 560 多个港口通航。

宁波有三大湖泊：东钱湖、慈湖和月湖。宁波东侧的东钱湖，是浙江省最大的内陆天然淡水湖。全湖分为三个部分：谷子湖、梅湖、外湖。整个东钱湖比杭州西湖大四倍。东钱湖烟波浩森，素有“西子风光，太湖气魄”之美誉。东钱湖古称“钱湖”，因其“上承钱埭之水”而得名，历史上还有“西湖”、“东湖”、“万金湖”等名称。东钱湖四周环山，并有 72 条溪汇流于湖，非常清幽。四周有诸多古迹和美景，有徐堰王墓、陶公山、李陆二公祠、王安石庙等古迹，还有陶公钓矶、余相书楼、双虹落彩、芦汀宿雁等十景。东钱湖还是宁波重要的水利工程，环湖有“七堰九塘”。东钱湖水灌溉着鄞县、奉化、镇海 8 个乡 50 余万顷的农田，环湖农业得以发达。而且，此湖供给了宁波市区大部分饮用水。东钱湖虽历经 2 000 余年沧桑，今天仍在发挥着重要作用。

在宁波历代的水利工程中，有一个工程可与都江堰相媲美，并与郑国渠、灵渠、都江堰一起被称作秦代四大水利工程，那就是“它山堰”。它修建于唐代，位于宁波市鄞州它山旁，是古代甬江支流鄞江上修建的“御咸蓄淡，引水灌溉”水利枢纽工程。

它山堰附近山水秀丽，堰下有岗山岭、乌龟岩，上游是清澈的樟溪河，下游是宽阔的鄞江。在它山堰旁边，有一座纪念筑堰英雄——王元暐的遗德庙。庙旁有一个青龙潭，庙前有一块“片石留香”碑亭，上面记述着王元暐的功德。现在，这个庙已被辟为浙东水利陈列馆。

目前，宁波市进行了多项水利建设，以保证居民生活与工农业供水。建设中的水库有周公宅水库和上张水库。曹娥江至慈溪引水工程慈溪段二期工程也已正式启动。

30. 衢州
四省通衢钱江源

国家历史文化名城浙江省衢州市位于闽浙赣皖边界，是浙江省内最大河流钱塘江的发源地。该市总面积约 8 841 平方公里，总人口约 246 万。

衢州，古称姑蔑、大末、信安，唐初因境内三衢山而得名“衢”。“居浙右之上游，控鄱阳之肘腋，制闽越之喉吭，通宣歙之声势”，是为川陆所会，四省通衢。这里是华夏民族之一的越族的发源地。秀丽的一方山水，养育了一代代浙西人民。

衢州地处江南，降水量相对较丰富。钱塘江流经衢州境内段为衢江，另有乌溪江等小型河流，这些河流最终注入衢江。这一带有不少堰塘水利工程，方便灌溉。由于地势起伏，山间水资源丰富，于是建立了许多小型发电站，充分利用了山间水资源，形成了不少水库，如乌溪江水电站就是其中较为著名的水电站之一。

宋元时期，衢州是一个工商业重镇，水连南北，货通西东。衢江水运是浙西最重要的交通方式。发达的水运为两宋时期衢州工商业的发展奠定了坚实的基础。南宋政权为发展农业生产采取了一系列重要措施，尤重兴修水利。衢州各地修建了不少堰塘水利工程，如石室堰，可灌溉农田 20 万亩，其支渠汇于城南大濠，入城为内河，又为城区人民提供生活水源。到了明清时期，衢州被称为“东南铁城”，是一个物阜民丰的好地方。由于其地理位置特殊，自古就是兵家必争之地。“守两浙而不守衢州，是以浙与敌也；争两浙而不争衢州，

是以命与敌也。”自春秋战国以来的 2 400 多年间，这里曾发生过数以百计的战争。“东南有事，此其必争之地。”这也是浙江农民起义频繁的原因之一，黄巢起义、方腊起义、太平天国等都曾以攻占衢州为重要的战略。明清时期，衢江两岸农业十分发达，加上水运的兴盛，商业十分繁荣。这里催生了当时全国十大商帮之一——龙游商帮，龙游商帮是与当时的晋商并列的商业集团。新中国成立之后，凭靠钱江水资源和江南充沛的雨水，衢州的农业迅速发展。与此同时，衢州大力发展水运，并发展陆、空交通，使衢州又一次成为衢通八方的东南重镇。

作为国家历史文化名城之一的衢州，也有着深厚的文化底蕴。除了远古人类的遗址，还有各个朝代遗留下的文物古迹。南宋时期孔子第四十八代孙、衍圣公孔端友率领部分孔氏族人安家衢州。孔氏家族遂分为南北两宗，南宗嫡裔至此扎根于衢州，繁衍生息 800 多年。衢州也就成为孔氏家族的又一圣地，史称“东南阙里”。这里也曾经是状元和进士的多产之地。一方水土养育一方人，钱江源之水，哺育了世世代代令衢州人民骄傲的人才。

桥文化是衢州文化的一个重要部分。江南古镇向来是小桥、流水、人家。据《衢州市交通志》记载，到清末，衢州境内有古桥梁 457 座。北宋末，兴建衢州城时，从小南门外南湖引水入城。河流穿过的街道巷弄，都有石拱桥、石板桥，还有内河边的住户建在门口的私家桥。现在虽然新城的建设使这些老桥的地位逐渐下降，但是，老桥的审美价值、历史价值却是永远抹不去的。虽然历经数朝，至今大多数桥梁仍保留着当时古朴的面貌，有的仍在发挥着它的作用。

衢州地貌多姿，江河萦绕，山川灵秀。“天生石梁”——烂柯山，“江南一绝”——三衢山石林，“世界第九大奇迹”——龙游石窟，古田山、紫薇山、钱江源森林公园山道蜿蜒曲折，闲云薄雾寄幽，奇山、异石、飞瀑、叠泉……“远似烟霏近又空，非明非夜两朦胧”的九龙湖、翠微湖、银湖、月亮湖都令人神思遐想。

钱塘江源头，一座默默无闻的古城正在腾飞。

31. 福州
千年闽水秀榕城

福州是一座有着 2 200 多年历史的古城。汉高祖五年(公元前 202 年),越王勾践后裔无诸(受封为闽越王)在此筑城建都,称为冶城。唐开元十三年(725 年)因"州北有福山",始称福州,这是"福州"地名的由来。福州,又称为"闽都",后因北宋治平三年太守张伯玉,发动市民广植榕树后,"绿荫满城,暑不张盖",又称为"榕城"。

《闽都赋》云:"闽之水,何泱泱;闽之都,何皇皇。"可见,福州与水具有怎样的一种特殊关系。无论是最早的"三山一水",还是后来的"五山二水",抑或是今天的"七山二水",都揭示着这个城市与水的息息相关,也因水而别具风韵。更何况,福州历史上就水系发达,城内的内河体系四通八达。据可考证的历史资料显示,福州市区的内河最多时达 42 条,东西南北交织成网,井井有条。这种水网平均密度之大,在全国同类城市中很少见。

闽江是福州的母亲河。闽江两岸青山如黛,风景宜人,尤其福州至闽江入海处,江面宽阔,水流平缓。闽江流经全省 16 个县市,流域面积为全省面积的一半。上游有建溪、富屯溪和沙溪,中游汇合有尤溪和古田溪,下游含大樟溪和梅溪,干流总长约 580 公里。当然,还有相当的一部分内河是唐宋以来护城沟壕的遗迹。据了解,中唐时

期福州经济繁荣，人口稠密，观察使郑镒再度修筑城池，设5个城门，每个城门前均有宏伟壮观的护城河。明代，城区又修筑多个城门和4个水门关。这些不断形成的护城河，随着千百年来福州频繁的“拓城运动”，慢慢变成了今日纵横交错的内河水系。这些丰富的内河水系，千百年来不但承担着航运交通的任务，更给沿河两岸的居民带来了便捷、惬意的居家生活。据资料显示，早年福州内河沿岸的居民，平常不用出门，柴、米就会通过船运送上门。此外，那时候河两岸浓荫蔽日，河水清澈，因此，这些内河也成了大人洗衣洗手、小孩逐水嬉戏的好地方。闽江沿岸也有不少名胜，金山寺、江心公园、罗星塔、金刚腿、青芝百洞山皆分布其间。

闽江水也养育了福州众多的杰出之士。他们中有五代开闽的王审知、南宋爱国名相李纲、近代民族英雄林则徐、启蒙思想家严复、文学家林纾、辛亥革命烈士林觉民、海军元老萨镇冰、“二七”革命烈士林祥谦等。仅宋、明、清三个朝代，福州籍进士就达3 632人，其中状元7人，位居全国各州府的前列。近现代名人更是灿若繁星，举不胜举。福州又是中国近代海军的摇篮，从清朝到民国先后13任海军总长、次长、总司令都为福州人。1991年，国家对近现代中国杰出专家学者所作的统计中，福州籍53人，中科院福州籍的院士47人，均名列全国各城市的前茅。故福州素有“海滨邹鲁”之美誉。

福州名胜古迹众多，至今许多文物、古迹仍完好无损。著名的文物有：建于1 000年前的我国长江以南最古老的木构建筑——华林寺，立于1 000年前被誉为“天下四大名碑”之一的“恩赐琅琊王德政碑”，被称为书法艺术“世宝”的唐篆书法名家李阳冰亲书的乌石山摩崖石刻，闽侯县昙石村新石器时代原始社会遗址等。

福州因水而吸纳天下文人骚客，因水而商贾云集，成为台湾海峡两岸的最大商埠，因水而具有极好的发展前景。从某种意义上说，福州城市精神的源头是浩浩荡荡的闽江精神，是悠悠不断的水的文明。福州由水而生，也通过水走向世界！

32. 厦门 东海明珠白鹭洲

厦门市位于福建省东南部，地处漳州、泉州、厦门黄金三角洲的顶端，离香港、澳门、台湾很近，有着极佳的地理优势。厦门辖区覆盖厦门岛、鼓浪屿、九龙江北岸沿海部分及同安县，全市人口200多万。厦门是一座美丽的滨海城市，有着“东海明珠”的美誉，它也是我国著名的侨乡之一。

厦门的主体是厦门岛，它是福建省第四大岛屿。关于厦门岛有一个美丽的传说：以前厦门岛是白鹭的家园，世代白鹭在岛上栖息、繁衍，建起了美丽的家园，它们共同抵御外敌的入侵，保持着岛上的繁盛，所以厦门别称“鹭岛”、“鹭江”。厦门行政建制始于宋代，它曾一度成为我国对外贸易的重要港口，改革开放后被列为对外开放的经济特区。

厦门水系发达，海岸线长，港湾众多，水域面积近300平方公里。厦门港是一个条件优越的海峡性天然良港，其海岸线蜿蜒曲折，绵延数百公里，港区外岛屿星罗棋布，港区内群山四周环抱，港阔水深，终年不冻。

厦门城市的发展，与发达的水运息息相关。1648年，清政府在厦门设立海关，厦门成为我国对外贸易的重要港口，厦门的水运优势由此凸显。鸦片战争后，厦门被辟为“五口通商口岸”之一，港口对外贸易进一步发展。一系列的历史积淀促进了厦门港口的建设，有利的区位优势也使得厦门成为改革开放后首批对外开放的经济特区。如今的厦门，有着世界上最便捷的交

通运输网络，厦门港口的优势带动了厦门经济的飞速发展。

厦门地处亚热带，四季温润如春，宜游宜居，花木常新，景致优美。“天风海涛，青山绿水，奇卉异木，鸟语花香”，厦门玄妙的天地造化，构成了它独特的自然地貌。城市中飞扬着的色香神韵，带给了厦门“海上花园”的美誉。厦门岛上名胜众多，鹭江蜿蜒而过市区，澄澈优美，给两岸带来无限风光。著名的厦门八景——“洪济浮日、金鸡晓唱、阳台夕照、万寿松涛、白鹿含烟、鸿山织雨、万笃朝天、五老凌霄”更是脍炙人口。厦门的景点以水景居多，海洋旅游事业也蒸蒸日上。每年，厦门都会以其独特的自然条件以及良好的人文环境吸引无数海内外游客前来度假观光。厦门还凭借其临近台湾的优势，成为两岸旅游文化交流的胜地。

厦门别致的自然风貌，造就了它独特的人文环境。被毛泽东赞为“华侨旗帜，民族光辉”的陈嘉庚先生，代表着厦门优秀的侨民文化。厦门悠久的历史也孕育了它深远的文化，传承的诗篇融入了无数华夏子民的心中。

如今，厦门正以前瞻性的眼光开展其港口建设，港口正成为厦门经济腾飞的翅膀。在发展经济的同时，厦门还注重城市环境的保护，有效地投入城市旅游事业的开发，促成了一系列卓有成效的进步，2004 年厦门被联合国授予“最佳人居城市”奖项。

厦门，隔海相望于宝岛台湾，有着其特殊的历史使命。厦门一度成为两岸经贸的门户，对促进两岸文化经济的交流有着不可低估的作用。随着两岸交流的不断深入，厦门必将成为联系两岸的重要纽带。

33. 泉州
全国著名的侨乡

泉州市地形呈“E”形，地处福建省东南部，与台湾隔海相望，全市土地总面积约 10 866 平方公里，人口 756 万（未包括金门）。泉州枕山面海，属亚热带海洋性季风气候，终年温和，雨量充沛，树木四季常青。泉州海域辽阔，海岸线曲折蜿蜒，约占福建省海岸线的 12.7%，沿岸有 4 个港湾和 14 个港口。

泉州是我国著名的侨乡，五代时域内外多植刺桐树，人称“刺桐城”；因市区沿江布局，形似鲤鱼，又称“鲤城”。泉州是明、清两代的著名通商口岸，相当于今天的上海、广州 。它是古代“海上丝绸之路”的起点，享有“东方第一大港”的盛誉；它是国务院首批公布的二十四座历史文化名城之一，名胜古迹星罗棋布，素有“世界宗教博物馆”之称。

泉州常年雨量充沛，水资源相当丰富。泉州人的母亲河是晋江。晋江自南安双溪口以上分东、西两支流。西溪为主流，发源于安溪县西北桃舟乡达德坂的梯子岭，河长 150 余公里，流域面积 3 000 多平方公里；东溪发源于永春县北部的雪山，双溪口至河口（虫寻埔社区）为干流。

尽管水资源丰富，但晋江流域水资源保护状况却令人担忧，金鸡闸上游尚无污水、垃圾处理厂（场），多数生活污水、工业废水未经处理就直接排入晋江水系。

泉州的水危机正在到来，母亲河实际上也正在湮没。在闽东南这个缺

水区域，泉州的财政没有赤字，但“水赤字”早就出现了。随着污染的加剧，泉州的可用水已经越来越少了。

山美水库是泉州市的一座集防洪、供水、灌溉、发电等综合利用功能为一体的大型水利枢纽工程。多年来，山美水库承担了防洪调度的重要任务，被誉为“泉州人民的生命库”和“泉州的生态调节器”。

晋江两岸的重要交通通道是位于晋江下游的笋江桥，它是泉州市实施“跨江发展”战略、加快江南新区开发建设的基本保障。而另一座较著名的桥是洛阳桥，它横跨洛阳江，是宋代建造的一座横梁式石桥，规模宏伟，堪称奇珍。该桥建造时使用了“种蛎固基法”。“洛阳潮声”也已成为泉州十景之一。

泉州风光旖旎，山水钟灵，文物古迹星罗棋布，有50多处文物保护单位，还有国家重点风景名胜区和国家自然保护区各一处，是旅游观光的上佳之地。除了“洛阳潮声”外，主要的旅游景点还有清源山、老君岩、开元寺、洛阳桥、黄金海岸、闽(安溪)生态旅游区等。历史上，这里也是名人辈出的地方，如：清代泉州理学大师李光地；北宋著名的政治家曾公亮，他编撰了我国古代军事科学著作《武经总要》；明朝时期和戚继光并称“俞龙戚虎”的俞大猷等。

一座城市兼具文化名城、著名侨乡、台胞祖籍地和开放城市等众多身份，这在全国各地的城市中并不多见。泉州在中国的海外交通史、宗教史、对外文化交流史、艺术史、民俗文化史等方面有着重要地位。多年来，泉州先后开展了20多次大规模、高规格的国际性文化交流活动。目前，泉州“海上丝绸之路·泉州史迹”申报世界文化遗产和“中国泉州南音”申报联合国教科文组织“人类口头与非物质遗产代表作”项目正在进行之中。

当前，泉州正在为建设经济发达、政治清明、民生宽裕、社会稳定的新侨乡和现代化工贸旅游港口城市而努力。

34. 南昌
三江过而带五湖

南昌是江西省会，总面积约 7 400 多平方公里，其中水域约占 29.8%。它有着 2 200 多年的历史和深厚的文化底蕴，是国务院命名的“历史文化名城”。

早在新石器时代晚期，南昌地区已出现原始村落，其生产活动主要是农耕、渔猎和纺织等。而最早有关南昌的文字记载可见之于《禹贡》。公元前 202 年，汉高祖刘邦派遣颍阴侯灌婴率兵进驻南昌，并修筑南昌城，俗称“灌婴城”，取“昌大南疆”和“南方昌盛”之意，定名“南昌”。被誉为江西母亲河的赣江，下游穿城而过，将这座城市一分为二。千百年来，滔滔江水滋润着南昌大地，养育着两岸的人民。

南昌处江西省中部偏北，赣江、抚河下游，濒临鄱阳湖。境内水网密布，赣江、抚河、锦江、潦河纵横交错，湖泊众多，其中较大的有军山湖、金溪湖、青岚湖、瑶湖等，市区的湖泊主要有城外四湖：青山湖、象湖、艾溪湖、黄家湖；城内四湖：东湖、西湖、南湖、北湖。城映于湖，湖拥着城。这座古老的城市因水而增添了诸多灵性，它使南昌形成了独特的南方水乡美景：一城景色半城湖，湖光水影映洪城。

南昌因水而美，因水而交通便利。古代的赣江是沟通我国南北的水上重要通道，水运可通赣江、抚河、锦江和鄱阳湖沿岸城镇及长江各口岸。而早在隋唐时期开辟的大运河—长江—赣江南方黄金水道，使得鄱阳湖、赣江岸边的商船风帆如织，连樯而至，整个南昌舟车不息，商贾云集。

赣江是长江中游主要支流之一、鄱阳湖水系第一大河，从源头桃江到南昌进入鄱阳湖。在赣江的滋润下，南昌良才辈出，且如水一般富有灵动之性。在这儿，吴、楚、越三种文化融会贯通，形成了独具特色的赣文化。历代许多名人文士，如王勃、张九龄、孟浩然、白居易、杜牧、韩愈、欧阳修、苏辙、朱熹、辛弃疾、陆游、杨万里、文天祥、唐寅、汤显祖、宋应星等，都在南昌留下

了传诵千古的佳话轶事或不朽诗文，丰富了我国的文化宝库。尤其是王勃所作的《滕王阁序》，使矗立在赣江江畔的滕王阁誉满天下，与岳阳楼、黄鹤楼一道被誉为“江南三大名楼”。

南昌还有一湖同样闻名天下，那就是鄱阳湖。它是我国第一大淡水湖，位于九江和南昌之间。湖呈葫芦状，分南北两湖，北部为西鄱湖，也叫落星湖，如葫芦上的长颈；南湖称东鄱湖，也叫官亭湖，如葫芦之大肚，是鄱阳湖的主体。赣江、抚河、信江、修水和鄱江是鄱阳湖的主要水源。湖上风景优美，“落霞与孤鹜齐飞，秋水共长天一色。”这就是王勃所描绘的湖面美景。鄱阳湖还是万鸟栖息的“天鹅湖”，每年冬季，千千万万的候鸟从北方西伯利亚等地飞来此处过冬。鄱阳湖也是珍稀鱼类的故乡，这里的鱼种类极多，并且许多鱼以名贵著称，尤其是鳜鱼、银鱼、鲥鱼、鲟鱼最为名贵。

南昌自古以来就是一个生态环境优美的“江南水乡”，近代的南昌还是一座具有光荣革命传统的英雄城市，“八一”南昌起义举世闻名，中国人民解放军诞生于此，故南昌又有“英雄城”之美称。今天，南昌境内的井冈山起义旧址群等都是著名的旅游景点，也是重要的革命教育基地。

目前，国内内河的国际集装箱码头——南昌港建成。耗资3亿多的玉带河综合改造，青山湖的水污染治理，近年来梅岭、青山湖风景区等旅游场所的相继开发，新建的秋水广场，都能体现南昌人对水的深厚感情。而南昌着力打造“亲水城市”，在红角洲规划“东方水城”，一个总面积近4平方公里的红谷滩新区已在赣江西岸初具规模，大有把赣江揽入怀中之势。

35. 赣州

千里赣江第一城

赣州，总面积约 3.94 万平方公里，总人口 840 多万，位于赣江上游、江西南部，简称赣南。它四周依山，三面临水，宛若一颗璀璨的明珠镶嵌在赣江的源头，市内绿树成荫，碧湖成群，洋溢着浓郁的南国风情，古有“富丽江城”之称。

赣州早在公元前 201 年的西汉时期就已经设县，隋代时更名为虔州，到宋高宗绍兴二十三年改为赣州，明洪武元年定名为赣州府。自西汉初年建制至今，已有 2 100 多年的历史。当年凭借交割三江直达鄱阳湖长江的黄金水系和岭南古驿道之便，这里“商贾如云，货物如雨”，赢得了“南方丝绸之路”的美名。在 1929 年至 1934 年间，赣州成为中央革命根据地的一部分，1931 年 11 月在瑞金成立了中华苏维埃共和国临时中央政府，因而瑞金被称为“红都”，赣州也因此成为“红色的土地”。

赣州市四周山峦重叠，丘陵起伏，溪水密布，河流纵横。地势周高中低，南高北低，水系呈辐辏状向中心——章贡区汇集。赣南山区成为赣江发源地，也成为珠江之东江的源头之一。千余条支流汇成上犹江、章水、梅江、琴江、绵江、湘江、濂江、平江、桃江 9 条较大支流。其中由上犹江、章水汇成章江，由其余 7 条支流汇成贡江，章、贡两江在章贡区相会而成赣江，北入鄱阳湖，属长江流域赣江水系。另有百条支流分别从寻乌、安远、定南、信丰流入珠江流域东江、北江水系和韩江流域梅江水系。区内各河支流，上游分布在西、南、东边缘的山区，河道纵坡陡，落差集中，水流湍急；中游进入丘陵地

带，河道纵坡较平坦，河流两岸分布有宽窄不同的冲积平原。

赣江由章水和贡水合流而成。章水发源于大庾岭，东北流经大余、南唐等县，收纳上犹江后，至赣州市与贡水合称赣江。贡水是赣江东源，又称会昌江、东江，上游为绵水，源出闽之武夷山脉木马山，至会昌向西北流，经于都向西到赣州和章水汇合。赣江正式起源于赣州市，曲折北流，上中游山多谷深流急，多险滩，下游江面宽阔，多沙洲，两岸有大堤以防洪。赣江纵贯江西全省，经吉安、清江、丰城到南昌，分为数十支，主流在星子县蚊塘东流入鄱阳湖。由于赣江和北江上游的两座城市大余（古南安）和南雄距离甚近，自唐末开辟大庾岭山路至1936年粤汉铁路通车前，赣江一直是联系长江和珠江两大流域最主要的通道。赣江可谓对赣州的发展作出了巨大的贡献，因此，赣州又享有“赣江第一城”的美称。

上犹县的陡水湖是赣州的一大美景。湖内岛屿星罗棋布，风姿绰约，沿湖四周群山逶迤，层峦叠嶂，湖中烟波浩淼，与水上人家构成了一幅天然水墨画。湖北岸有国家一、二类保护树种1 700多种；湖下游有中国第一座坝内式电厂。而七星湖以水面大、湖弯长、水质优、植被好而出名，有“九十九道弯”之称。

赣州具有光荣的革命传统，古今众多的仁人志士、革命先烈在这块红土地上抛头颅、洒热血，写下了不朽的篇章。文天祥在这里起兵抗元；杨廷麟在这里率兵抗清，保卫家园；陈赞贤在这里运筹帷幄，领导工运；毛泽东在这里召开分兵会议，实施农村包围城市的战略思想；陈毅在这里与国民党谈判，初步形成了赣南抗日民族统一战线。

作为千里赣江的第一城，在赣江的哺育与滋润下，赣州的未来会更加美好。

36. 景德镇 中华瓷都名天下

景德镇市位于江西省东北部，西北与安徽东至县交界，南与万年县为邻，西同波阳县接壤，东北倚安徽祁门县，东南和婺源县毗连，坐落在黄山、怀玉山余脉与鄱阳湖平原过渡地带。景德镇市为江西省直辖市，面积 5 256 平方公里，人口约 152 万，其中市区人口为 50 万左右。

景德镇是中外著名的瓷都，制瓷历史悠久，文化底蕴深厚。史籍记载："新平冶陶，始于汉世。"可见景德镇早在汉代就开始生产陶瓷。宋景德元年(1004 年)，宫廷诏令此地烧制御瓷，底款皆署"景德年制"，景德镇因此而得名。景德镇位于长江之南，素有"江南雄镇"之称，历史上与广东佛山、湖北汉口、河南朱仙镇并称"全国四大名镇"，是国务院首批公布的全国二十四座历史文化名城之一和国家甲类对外开放城市。

景德镇境内河川交错，北部昌江、南部乐安河纵贯全境，属长江流域鄱阳湖水系。昌江，是景德镇一大内河，汇入鄱阳湖，又分出两支：北出湖口奔长江至吴淞口入东海；南经赣州入湘水，经珠江出南海。乐安河，又称乐安江、大溪水，注入鄱江，发源于江西省婺源县东北部的五龙山西南麓，向南流后折向西南，经婺源县、德兴市、乐平市，在鄱阳县与昌江汇合，成为鄱江。

景德镇的发展与水有着极大的关联，瓷都景德镇从汉、魏、六朝，由唐继五代入宋，至元、明、清，乃至今日，无时不在母亲河昌江的怀抱中成长。昌江便利的水运交通是景德镇瓷器扬名天下的一个重要基础。它得天独厚的黄金水道在漫长的岁月里，是景德镇与外界沟通的唯

一途径。乐安河四季通航，也为景德镇的发展提供了无可替代的交通优势。然而由于河流改道、环境污染等问题，景德镇的水体、水系质量正在恶化，影响了城市的进一步发展。如今，一系列的改造措施使得景德镇的水运优势又重新展现出来。

景德镇的文化得天独厚，独具优势，尤以陶瓷文化最为著名。全市现已发现古代著名的瓷用原料产地及世界通称制瓷原料高岭土命名地高岭、湖田古窑遗址、明清御窑厂遗址等30多处陶瓷历史遗址，分别列为国家级、省级文物保护单位，具有世界级的影响力和吸引力。景德镇市的风景名胜和景观众多，有号称中国第二、江南第一的浮梁古县衙；有以三闾大夫屈原命名的古建筑三闾庙；有保留完好的明清古建筑村、徽派建筑群、古戏台等。景德镇也是一个具有光荣革命传统的地区，著名的新四军瑶里改编就是在浮梁县瑶里镇完成的。

景德镇钟灵毓秀、人杰地灵，名家辈出，它是陶瓷专家集结的圣地，悠久的陶瓷文化熏陶了代代的景德镇人。

景德镇的发展依赖于陶瓷工业，它以一种产业支撑了千年，创造了一个美丽的传奇，然而保守落后的思想也曾阻碍了景德镇工业的发展。如今，景德镇人民正推陈出新，在原有制陶工业的基础上积极发展新兴产业。景德镇的未来必将更加璀璨。

37. 合肥
淝河畔包拯故里

合肥，地处安徽省中部，现为安徽省省会，全市人口450多万，行政辖区总面积约为7 029平方公里。它是一座有着2 000多年历史的文化古城，被形容为“淮右襟喉、江南唇齿”，战略地位极为重要，为兵家必争之地。合肥素以“三国故地、包拯家乡”而闻名海内外。

“合肥”之名最早出现在司马迁的《史记·货殖列传》中：“合肥受南北潮，皮革、鲍、木输会也。”其因东淝河与南淝河于此汇合而得名。合肥的发展和历代政权有着密不可分的关系，秦朝汉代之交，正式建立“合肥县”，属九江郡管辖。东汉时升为侯国，然后在三国时辟为扬州治所，三国时魏将张辽大败孙权十万大军的逍遥津战役，就发生在这里。到了明清时，合肥为庐州府治，故又别称为“庐州”。自东汉末年以来，合肥一直是江淮地区重要的行政中心和军事重镇。

巢湖如镶嵌于合肥大地上的明珠，给合肥带来了丰富的水利资源，哺育了它的子民。合肥有着极佳的水利条件，美丽的淝水穿城而过，长江、淮河倚傍着它，依靠着南淝河的优势通达江海，水运交通便捷。合肥的发展与其便捷的水运有着密不可分的关系，凭借其得天

独厚的淝河黄金水道，合肥南可至巢湖而达长江，北可经瓦埠湖而达淮河。此外，合肥拥有可辐射四邻地区的陆路相佐，交通便捷，由此合肥成为了南北的货物集散地。加之民间手工业发达，逐渐成为繁荣的商业都会，并跻身于全国16大商城之列。如今，合肥市政府致力于市内交通条件的完善，并对南淝河航道进行了改造建设，使合肥水上运输得到进一步发展。合肥交通事业的全方位建设发展，陆海空齐头并进，使得它拥有了一个纵横交错、四通八达的现代化立体交通网。

合肥不仅文化底蕴深厚，而且风景秀丽。合肥市政府重视城市环境的开发与保护，大力发展旅游事业。城区绿化面积不断扩大。在对环城园林作进一步绿化的基础上，合肥市政府于环绕古城的"绿色锦带"上新辟建了四处自然景区，被誉为"一根项链，四颗明珠"。合肥古"庐阳八景"——镇淮角韵，梵刹钟声，藏舟草色，教弩松荫，蜀山雪霁，淮浦春融，巢湖夜月，四顶朝霞等名闻天下，毗连新建成的十大自然景点及蜀山森林公园、植物园、花冲公园、杏花公园、瑶海公园、清溪公园、银河公园等，使得合肥愈加秀美。

合肥的水，合肥的文化，成就了合肥的人杰地灵。合肥名人辈出，如包拯，他是北宋仁宗时期中国著名的政府官员，他刚正不阿的鲜明形象是合肥儿女的骄傲；又如近代洋务运动代表人物之一——李鸿章，台湾第一任巡抚刘铭传，当代世界著名的美籍华人物理学家、获得诺贝尔物理学奖的杨振宁，联想集团总裁杨元庆，新兴的文坛作家裴章传等。

如今，合肥市政府致力于城市保护并加大了交通项目的建设，使得合肥的投资环境愈加优越。这个古老而又富有朝气的城市，改革开放后发展迅猛，形成了经济连年高速增长的局面，城市的保障体系也愈加完善。合肥正奔向一个愈加美好的明天。

38. 亳州
"酒乡""药都"誉中华

亳州市位于安徽西北部，因地处"商之南亳"而得名。从商汤建都开始，已经有 3 000 多年的历史。亳州史称亳都，三国时是曹魏的陪都；元末小明王韩林儿曾称帝于此。因此亳州以三朝古都而名扬天下。它以悠久的历史、灿烂的文化闻名遐迩。1986 年，亳州撤县建市，同年国务院公布亳州为国家历史文化名城。

古亳州为中州门户、南北陆路通衢，水路东南控淮泗，西北接豫陕。涡水像一条绿色的绸带，自西北绕向城东，水流平静，景色美丽。在古代，这条河却是桅樯如林、舟楫往来如梭的繁忙运输路线。唐代时，亳州鼎盛，为天下十望之一；明代亳州商业兴盛，水陆畅通，舟车络绎，画舫翠楼，玉管银箫，一片繁荣景象；清代时，亳州古城设有 4 关，以北关最大，生意兴隆，有 72 条街、360 条巷，各行各业按街分布，井井有条。亳州享有"酒乡"、"药都"之美誉，"古井贡酒名扬天下，亳州药都饮誉中华"，酒、药是今日亳州经济的两大支柱。

涡河是亳州境内的主要河流，被亳州人称为母亲河，是淮河第二大支流、淮北平原区河道。发源于河南省尉氏县，东南流经开封、通许、扶沟、太康、鹿邑和安徽省亳州、涡阳、蒙城，于怀远县城附近注入淮河。涡河历来是豫、皖间水运要道。

亳州的水无疑是其文化、经济、社会和谐统一的主导因素，因为有了甘甜的水才能酿造出醇美的酒；因为有了灵动的水，才会涌现出那么多智者仁人；因为有了神秘的水，才能吸引人们前来观赏……

但是涡河历史上屡受黄河之害。支流惠济河口以下的中下游河槽，原本宽深，排水能力较好，有"水不逾涡"之说。20 世纪 50 年代，排水困难的西淝河、茨河、北淝河等上游部分积水，改道排入涡河。60 年代后，为发展灌溉，干支流普遍建闸蓄水。由于上游引黄灌溉而带来的大量泥沙未作沉沙处理，使承泄排水的惠济河及其河口以下的涡河干流河道淤积，排水能力大

为降低。皖境沿岸低洼地区，备受洪水自沟口倒灌之苦，内涝也难以迅速排出。因此，要实现亳州经济社会的可持续发展，必须解决好这个问题。

悠久的历史给亳州留下了众多的文物古迹。城西北隅的明王台是韩林儿登基时所建的宫阙遗址；城北关火神庙大街大关帝庙内有一处古朴玲珑的建筑，名“花戏楼”，又名歌台，为三层牌坊式仿木结构，由水磨砖砌成，上面布满精美的立体通透雕刻，有人物、车马、城池、山林、花卉、禽兽等图案，其中有六曲内容完整的戏文，另有70余种故事、图案、花纹，玲珑剔透，琳琅满目，已被列为全国重点文物保护单位。此外还有章华台、薛阁塔、城父故城遗址、咸平寺、柳湖书院等古迹名胜。

亳州在悠久的历史长河中，涌现出无数英雄豪杰、文人墨客，灿若星辰。载入中国《历史名人大辞典》的就有近百人，其中有一代圣君商汤，集政治家、军事家、文学家于一身的枭雄曹操，有中医外科鼻祖华佗，“天资文藻，博闻强识”的魏文帝曹丕，出口成章、七步成诗的曹植，在中国文学史上占有重要地位的“建安七子”，有在军事上震古烁今的张良、曹仁、曹洪、夏侯渊、许褚等，还有代父从军的孝烈将军花木兰，中国道教上声誉极高、被宋太祖誉为“希夷先生”的陈抟，此外唐代著名悯农诗人李绅、大画家曹霸、《牡丹史》的作者薛凤翔、清代大书法家梁献也都生于亳州。

在新的机遇中，亳州市正致力于发掘涡河流域厚重的历史文化，利用老子、庄子、曹操、华佗等历史名人效应，发挥老庄故里、三曹故乡、尉迟寺文化遗址及生态农业资源丰富的优势，不断加大投入力度，开发具有亳州特色的旅游产品，形成集史前文明、道家文化、建安文学、古商埠风貌、水上游乐、生态观光、中医药主题旅游于一体，在国内外有一定影响的生态文化旅游主轴线。

39. 济南

济水育泉流无声

济南因地处古四渎之一的济水之南而得名。济南的历史可远溯尧舜，春秋时代，济南地属齐国，被称为泺邑、鞍邑等，战国时，为齐国的历下邑。到了汉朝，设为济南郡。以后各朝，有时改郡，有时复国。1929 年改为济南市，沿袭至今。

济南市的河流分属黄河和小清河两大水系。其支流除狼溪河、东泺河、西泺河和绣江河为常年性河流外，其余为排泄山洪之季节性河流。济南市地形南高北低，上陡下缓，汛期降水集中，易致山洪暴发；山溪河道，源短流急，至平原洼地，洪水渲泄不及，于是水潴为湖沼。现存的湖泊有白云湖、芽庄湖、大明湖、东平湖四处。济南自然风光秀丽，自古有“泉城”之美称。尤以趵突泉、黑虎泉、五龙潭、珍珠泉这四大名泉久负盛名，享有“家家泉水，户户垂杨”之誉。

趵突泉为七十二名泉之首，泉水分三股而湍。泉北有宋代建筑泺源堂，西南是明代建筑观澜亭，池东为来鹤桥，桥南立木牌楼，横额上书“洞天福地”、“蓬山旧迹”。清高宗乾隆南下游览，观趵突泉后大为兴奋，当即题“游湍”，封“天下第一泉”，留《趵突泉游记》石刻碑文。

大明湖是济南三大名胜之一。大明湖是一天然湖泊，最早见诸文字是在 1 400 多年前北魏郦道元所著《水经注》中，隋唐时名“历水陂”、“莲子湖”，宋时又称“西湖”，金代称“大明湖”。其水来源于珍珠、濯缨、芙蓉诸泉，有“众泉汇流”之说。“恒雨不涨，久旱不

涸”是其一大优点。现今大明湖位于济南旧城区内，“四面荷花三面柳，一城山色半城湖”是其风景特色的写照。湖上鸢飞鱼跃，画舫穿行，岸边繁花似锦，游人如织。“湖阔数十里，波光摇碧山”，是诗仙李白对大明湖美景的赞誉；“问吾何处进炎蒸，十顷西湖照眼明”，是曾巩对它的描摹。大明湖一带历代建筑甚多，素有“一阁、三园、三楼、四祠、六岛、七桥、十亭”之说，湖畔有历下亭、铁公祠、南丰祠、汇波楼、北极庙和遐园等多处名胜古迹。济南八景中的鹊华烟雨、汇波晚照、佛山倒影、明湖秋月均可在湖上观赏。

济南是中华文明的重要发祥地之一，文物古迹众多，有舜文化遗址——舜耕山、舜井、娥英河、舜庙，有先于秦长城的齐长城，新石器时代晚期龙山文化的代表——城子崖，中国最古老的地面房屋建筑——汉代孝堂山郭氏墓石祠，中国最古老的石塔——隋代柳埠四门塔和被誉为“海内第一名塑”的灵岩寺宋代彩塑罗汉等。

在中华民族的灿烂文化中，泉城文化有其杰出的地位。战国时期的齐国大思想家邹衍，创立阴阳五行学说，为稷下学派著名学者；扁鹊，精通内科、妇科、五官科、小儿科，创立望、闻、问、切的诊病方法，为中国医学的奠基人之一；汉文帝时，年过九旬的秦博士伏生（今济南市人）口授今文《尚书》二十八篇，使之得以流传后世；唐代的房玄龄、秦琼等均为大唐的开国元勋，以后的名家如黄庭坚、曾巩、李清照、辛弃疾、杜仁杰、张养浩、赵孟頫等，也皆与济南结下了不解之缘。

山无水则枯，城无水则涩。水，是生命之源。在济南，水更是生命之魂。“问渠那得清如许，为有源头活水来。”为了泉水能永远鲜活灵动，济南相继建成了十多项水利工程。这些工程既是景点，也是趵突泉涌流的保证，这样济南人民就不会失却这生命的“源泉”。

40. 青岛
黄海之滨避暑地

青岛市位于山东半岛南端的黄海之滨，面积近10 654平方公里，总人口约700万。青岛市是中国重要的经济中心城市和沿海开放城市，是国家级历史文化名城和旅游、度假胜地。气候温和宜人，被称为“避暑胜地”、“夏季的天堂”。

6 000多年以前，这里已有了人类的生存和繁衍生息。清朝末年，发展为一个繁华市镇，称“胶澳”。1891年6月14日（清光绪十七年），清政府在胶澳设防，青岛建制开始。

青岛水系分布清晰，全市流域面积在100平方公里以上的较大河流有30多条。按照水系划分为大沽河、北胶莱河以及沿海诸河三大水系。大沽河是全市最大的河流，是市区汲取径流水和地下水的主要水源地之一。市区地下水主要为大气降水补给。由于地质原因，河流多为宽浅的季节性河流，地下水储量并不丰富。

大沽河水系主要支流有小沽河、五沽河、流浩河和南胶莱河。古称“姑水”，发源于烟台市招远县阜山，至胶州南码头村入海。主河槽呈“之”字形弯曲，古代航船多在此出事，故又称“万人愁”。北胶莱河水系在青岛境内的

主要支流有泽河、龙王河、现河和白沙河，总流域面积近 2 000 平方公里。北胶莱河发源于平度市万家镇，于平度市新河镇出境流入莱州湾。沿海诸河系指独流入海的河流，较大者有白沙河、墨水河、王戈庄河、白马河、吉利河、周疃河、洋河等。

青岛海区港湾众多，岸线曲折，滩涂广阔，水质肥沃，是多种水生物繁衍生息的场所，具有较高的经济价值和开发潜力。历史上也曾因此成为列强觊觎的风水宝地。青岛的历史就是一部青岛人民认识水、利用水、爱惜水的历史，由于其多港湾、多海岛的地理特征，使得水在青岛城市的发展过程中显得举足轻重。

青岛又是一个海滨旅游城市，东部商业区内规划完善，沿海岸风光秀美，旅游者都会选择在这里观光、购物、休闲和娱乐，这里无疑是人气、财气汇聚的一个聚宝盆。每年 7 月中下旬这里都会举办中国青岛海洋节；8 月下旬—9 月上旬，青岛国际啤酒节这一亚洲最盛大的啤酒节也会在青岛开幕。

但是，青岛是我国严重缺水的沿海城市之一。弥补淡水资源不足、破解缺水难题，成为青岛可持续发展的重点和难点。政府投巨资建设了“引黄济青”工程和棘洪滩水库，“开源与节流并重，节流优先、治污为本、科学开源、综合利用”，这是青岛坚持的节水原则，以保证水资源的可持续发展利用。

作为旅游城市，青岛有着三里河等新石器时代遗址，齐长城、田横岛、琅琊台、珠山石窟等著名古迹；崂山的险峰异石与市区的海滨风光又形成无数胜景佳区；有那罗延窟、白云洞等神异的洞府，有太乙、神水、金液等名泉清溪。古代名人如郑玄、邱长春、张三丰、李白、顾炎武、蒲松龄、高凤翰、康有为等的履迹遍布青岛，留下了华美的诗文。盛夏季节，各海滨浴场游玩戏水者，经常一天达几十万人次。昔日德国提督的官邸和恭王府，也已对外开放。

青岛正以建设现代化国际城市为宏伟目标阔步迈向未来。在资源和产品开发方面，将以海滨风光、崂山名胜、历史名城、文化遗址为主题，重点开发建设黄金海岸旅游线、崂山国家风景名胜区和海滨度假旅游，培育一批文化品位高，参与性强，具有国际性、不可替代性和无季节性的旅游产品，进一步办好青岛国际啤酒节、青岛国际海洋节、沙滩文化节、海之情旅游节、青岛之夏艺术节等具有特色的节庆活动。

41. 淄博
黄河南岸的名都

齐鲁文化的发源地淄博，位于山东省中部，是黄河南岸的重要城市之一。淄博是中华民族古老文明的发祥地之一，经历了北辛文化、大汶口文化、龙山文化三个阶段。由于地处黄河之滨，农业十分发达，是个富庶之地。西周建立后，姜尚封齐，开创“泱泱大风”的齐国文化。临淄为当时齐国的都城。

淄博东接沿海城市青岛、烟台与威海，是个雨水充沛之地。加上黄河流过境内，这一带的水资源十分丰富。大大小小的湖泊分布于市内各个景区，其中较为著名的有马踏湖、大芦湖、玉黛湖等。

淄博拥有8 000多年的历史，依托黄河，在北辛文化时期就有人类活动的痕迹。这不能不归功于黄河，它为人类的繁衍栖息提供了必需的水源。所以，早在齐文化开始之前，这一带的农业就十分发达。我国历史上第一部著名的农业专著《齐民要术》，就是作者贾思勰根据齐国都城淄博这一带的农耕情况而创作的。中国自古以来就是一个农业大国，农业的发展必然带动整个地区的经济发展，如手工业、服务业的发展。中国历史上第一本手工业方面的专著《考工记》、最早涉及阐述服务业的专著《管子》都是在这里写成的。

作为春秋五霸之首、战国七雄之冠，齐国都城是个风云变幻之地，英雄遍野，姜太公、齐桓公、齐威王、管仲、孙武、晏婴、田单、司马穰苴等名君贤相、英帅良将，不仅创建了“临淄之中七万户……临淄之途，车毂击、人肩摩，连衽成帷，举袂成幕，挥汗如雨，家敦而富，志高而扬”的东方名都，也撰写了一部

雄壮曲折的齐国史。直到西汉，齐国仍然在国内具有举足轻重的地位。虽然之后在政治和经济上已经不占优势，但是辉煌800余年的古都依旧钟灵毓秀，房玄龄、蒲松龄、赵执信、王渔洋等历史上的杰出人物生于斯，长于斯。如今，蒲松龄的聊斋已经成为后人瞻仰之地，每年都有不少游客来此参观游览。

解放后的淄博市，利用其深厚的历史文化积淀和秀丽的景色，大力发展旅游业，这一带人们的生活水平也日渐提高。

山川秀景，当然少不了水的点缀。

樵岭前景区，飞流叠瀑，素有“天然公园”之称。景点有博山溶洞、王母池、淋漓湖、天星湖等。景区内集山、水、林、泉、洞、瀑融为一体，被专家誉为“鲁中山水画廊”。

溶洞是这一带景区的特色，在漫长的地质变迁中，淄博地区的有些岩石来自深海。如博山溶洞，形成于1 200万年以前，洞中钟乳产生于20万年前至30万年前。洞内钟乳、石笋似雕似塑，奇幻迷离，气象万千。其中“十八罗汉朝南海”、“仙人亭”等奇妙景观，令人叹为观止。全洞处处流水潺潺，空气清爽宜人，给人以幽深神秘之感。

玉黛湖生态乡村如今是一个集观光旅游与餐饮于一体的景区。这一带曾有个美丽的传说：相传在春秋时期，此处曾是一个美丽富有的小村庄，村里的人们过着世外桃源般的美好生活。不料一场突降的洪水带来了巨大的灾难，淹没了村庄，顿时使人们陷入了绝境。玉帝因念及此处居民真善亲和，遂派一神龟至此解救村民。神龟用庞大的身体载起了水中落难的人们，使他们获得新生。但是神龟由于太劳累，死后化作了一座小岛。如今在玉黛湖中央，还能看到这座传说中神龟化作的小岛。

如今，淄博已经是一座全方位发展的城市。虽然黄河在历史的变迁中，在淄博的地位已经不像过去那么重要，但是静静流淌的河水见证过淄博的沧桑，也将伴随着淄博走向更美好的明天。

42. 聊城
江北水城赛苏杭

享有“江北水城”、“运河明珠”之美誉的聊城，是中国优秀旅游城市、国家历史文化名城，位于冀鲁豫三省交界处，是黄河与京杭大运河的交汇点，总面积约 8 590 平方公里，总人口 560 多万。

聊城始建于春秋，距今已有 2 500 多年，因位于古聊河西岸而得名。

聊城是一座独具魅力的江北水城。水资源非常丰富，流域面积在 30 平方公里以上的河流有 23 条，流域面积在 100 平方公里以上的河流有 3 条，中华民族的母亲河——黄河由西向东蜿蜒百里，马颊河、徒骇河、漳卫河、赵王河等近百条河流纵横交错，逶迤而去。素有“南有西子，北有东昌”之称的东昌湖——千顷湖水，清如许，明如镜。

聊城历史悠久，文化灿烂。春秋战国时期，先后属鲁、齐；秦置，属东郡；两汉相沿不改；魏晋南北朝时期，先后为平原郡、平原国和济州所属；北宋时为河北东路博州治所；南宋时，为金山东西路博州治所；明、清为东昌府治所。

追溯历史，聊城巨变发端于水。曹魏时，利用黄河故道开凿了一条人工运渠——白沟，起自河南卫县，东流注入渤海。这条白沟就是现在的卫河，它促进了华北中原一带的经济文化交流，奠定了河港水运交通的重要地位，对北方河道城市的形成和发展产生了深远的影响。1289 年，途经聊城的会通河，被开凿疏浚成为京杭运河的

重要河段。浩瀚的运河水穿城而过，八百斛之舟迅流无滞。繁荣的运河漕运，使聊城成为沿岸九大商埠之一，繁荣昌盛达400年之久。尤其在明清时期，这里漕运畅通，为京杭运河沿岸最负盛名的大商埠之一，被誉为“漕挽之咽喉，天都之肘腋，江北一都会”、“秀美赛江南，富庶甲齐都”。然而到了清末，运河淤塞，水运衰落，商机不再。

聊城个性在于水，水是聊城魂。代表中国古代文明之大成的齐鲁文化、黄河文化、运河文化在此交融。烟波浩森的东昌湖环绕着一座保存完好的古城。古城占地1平方公里，方方正正，大街小巷并列对称，垂直交叉，就像一个巨大的棋盘漂浮在碧波上。光岳楼耸立在古城中央，气势恢宏，“虽黄鹤、岳阳亦当拜望”。

中国古典名著《水浒传》、《金瓶梅》就是以聊城社会为背景来创作的，武松打虎的景阳冈、武松斗杀西门庆的狮子楼以及祝家庄、十字坡、柴府花园等众多古迹依然存在。这些景点已成为山东水浒旅游路线的重要组成部分。

如今，聊城已形成了“湖水相连，城湖相依，城在水中，水在城中，城中有湖，湖中有城，城河湖一体”的独特水城风貌，把水的个性与社会需求结合起来，让盛世重演。聊城将成为园林式、生态型、卓越秀美的“中国江北水城”，并将努力打造一个融南方水韵和北方风情于一体、自然景观与人文景观交相辉映、风格独特的优秀旅游城市，使之成为济南的西花园、京津的度假村。

43. 曲阜
圣贤名士荟萃地

曲阜乃东方圣城、孔孟之乡，位于山东省西南部。它独具东方文化和儒家文化特色，是中国文化的重镇。曲阜一向被称为“礼仪之邦”、“诗书之府”。这里不但产生了在我国地域文化中占有突出地位的齐鲁文化，更孕育了中华主流文化，是中华民族的灵魂、炎黄子孙寻根问祖的源头所在。总面积约 900 平方公里，总人口 60 多万。

曲阜与中华五千年文明同步。早在五六千年以前，华夏、东夷两族的祖先就在这里繁衍生息，创造了早期的文明。根据《史记正义》等古籍记载，“三皇五帝”中的炎帝、黄帝、少昊都曾建都于此。商王朝时，这里曾长期作为奄国都。从西周到东汉，这里一直作为鲁国国都，成为齐鲁文化的发源地，所以山东省的简称是“鲁”。隋开皇十六年，初定县名为曲阜县。《尔雅》释名说：“大陆曰阜。”由“鲁城中有阜，委曲长七八里”而得“曲阜”之名，并一直沿用至今。1986 年经国务院批准，撤销曲阜县，设立曲阜市。

曲阜南临淮海，属淮河流域南四湖水系，共 14 条大小河流，主要有泗河、沂河、蓼河、险河等 4 条河流。曲阜位于洙、泗二水之间，泗、沂两条主干河流自东向西横贯全境，洙河流经城的西、北两面，小沂河绕城的南面而过。曲阜另有大小水库 60 多座，其中尼山水库是一座大型水库，其他的主要还有河夹店水库、梨园水库、胡二东水库、白塔水库、吴村水库、韦家庄水库等。

春秋战国时代，曲阜周围平原狭小，人口众多，农业发展受到限制。不过曲阜的地理条件优越，它处在中原诸国通向鲁南、苏北的泗上诸国和淮夷地区的陆路交通大道上，因此，当地人“好贾趋利”，商业比较发达。但是，在东晋永和十二年开凿了引汶会洙的水渠，太和四年又开凿了沟通济、泗等水的桓公沟，汶、洙、泗诸水的水运得到了很大的发展，从而使曲阜西面濒临洙水的瑕丘（今兖州）的地位渐显重要，瑕丘逐渐替代了曲阜，成为洙泗流域的政治中心。元朝开凿的济州河、会通河，又使大运河沿线的济宁迅速发展成为洙泗流域的一个重要商业城市。廉价的水运，替代了原来通过曲阜的陆

路干道，替代了曲阜商业都会的地位。

虽然曲阜的经济地位在魏晋以后逐渐下降，但在政治和文化上仍始终保持着特殊的地位。那是因为在中国漫长的封建社会里，这儿一直是人们心中的圣地名城，有人誉之为“东方耶路撒冷”。悠久的历史、灿烂的文化，为曲阜留下了辉煌的文化遗产和众多的名胜古迹。曲阜有著名的“三孔”，它们是：孔庙——中国书法艺术的宝库，孔府——天下第一家，孔林——世界上最大的家族墓地。“三孔”被称为“人类文明史上的孤例”，于1998年被列入世界文化遗产名录。另外，黄帝出生地寿丘、中国金字塔少昊陵、后圣颜庙、元圣周公庙以及尼山古代建筑群、九龙山汉墓群等，都闻名遐迩。曲阜每年还举行“中国曲阜国际孔子文化节”活动，将曲阜的特色旅游资源推向世界。

在曲阜的土地上诞生了“至圣”孔子、“亚圣”孟子、“复圣”颜子等圣人的同时，还出现了孔子之母颜征在、孟子之母仉氏等伟大女性人物，并且留下了一篇篇美丽感人、脍炙人口的故事以及众多的古代遗迹。曲阜有四大名古井，都与圣贤生活有关。它们分别是“扳倒井”、“孔宅故井”、“陋巷井”、“孟母井”，是曲阜水文化中独树一帜的奇葩。

新建的“孔子湖水利旅游风景区”是曲阜一大水利旅游风景区，它以曲阜尼山水库为依托，将环库人文景观、自然景观融于一体。景区北有尼山夫子洞、古孔庙，南有唐代古迹桃花山，加之环湖农家风味餐饮及新增的娱乐、购物等设施，是旅游、观光、休闲的绝好去处。

44. 郑州
悠悠文明八千年

郑州，河南省省会。全市幅员辽阔，总面积约 7 446 平方公里，全市总人口达 700 万，其中中心城区人口 322 万。郑州地处中原腹地，北临黄河，西依嵩山，东南为广阔的黄淮平原，"雄峙中枢，控御险要"，它是全国重要的交通、通讯枢纽，是新亚欧大陆桥上的重要城市，是国家开放城市和历史文化名城。

郑州在古时的夏、商、管、郑、韩这五个朝代都为都城，隋、唐、五代、宋、金、元、明、清八代为州。悠久的历史和灿烂的文明给郑州留下了丰富的人文景观，裴李岗文化以及仰韶文化与龙山文化发端于此。郑州古称荥州，隋开皇三年(公元 583 年)，更其名为郑州，并一直沿用下来。

郑州境内有大小河流 35 条，分属黄河和淮河两大水系，其中流经郑州段的黄河全长约 150 公里。郑州在黄河中下游分界线处，依偎于黄河两岸。黄河水从邙山口冲出，进入平原地区后，形成了冲积扇平原，今天的郑州便地处这片巨大的冲积扇平原上。郑州内河交错，著名的有贾鲁河，《汉书·地理志》称之为"狼荡渠"，水势浩荡，蔚为壮观。

郑州的发展与郑州城市的水系有着密不可分的关系。历经千年风雨的内河贾鲁河，是牵动郑州发展命脉的历史故道。它与黄河有着千丝万缕的联系，又承袭着"楚河汉界"的苍劲意味，曾是郑州水运的动脉，然而随着岁月的流逝、时间的侵蚀，原本汹涌的水势渐渐干涸或湮

灭，成为与旧时气象大相径庭的一处破落河道，郑州水运优势也明显减弱。贾鲁河与这个城市是互为依托的关系，却也摆脱不了渐渐被忽略的命运。然而，兴衰演变，那些流淌千年的历史，无论何时都会镌刻在记忆深处，而目前郑州生态规划的明晰，使这条不断得到治理的内河，正面临着一次重大的改变。

悠久的历史给郑州留下了丰富的文化积淀，全市有各类文物古迹1 400多处，其中国家级文物保护单位26处。嵩山风景名胜区是全国44个重点风景名胜区之一和全国文明风景旅游区示范点，“天下第一名刹”少林寺就坐落在嵩山脚下，威震海内外的少林功夫从这里走向世界。这里还有我国最早的天文建筑周公测景台和元代观星台、中国宋代四大书院之一——嵩阳书院、我国现存最大的道教建筑群——中岳庙等。在郑州周围，还有星罗棋布的古城、古文化、古墓葬、古建筑、古关隘和古战场遗址。郑州春秋两季天高气爽，百花齐放，为旅游最佳季节。郑州特色节日众多，如月季花会、中国郑州国际少林武术节、郑州全国商品交易会、新郑枣乡风情游、炎黄文化旅游节、巩义雪花洞拍手定情节、登封嵩山卢崖瀑布泼水节等节日，每年都在吸引着大量的游客。

郑州物华天宝，人杰地灵，历史名人列子、子产、杜甫、白居易、高拱等都出生在这里。厚重的历史韵味，成就了郑州名人辈出、才俊云集的文化氛围。

这座8 000多年的古城，秉承着优势，低调地前行。如今的郑州市政府，已认识到水运开发与治理的重要性，正积极地拓展思路，重拾水运优势，我们有理由相信郑州的明天将更加美好。

45. 开封
河渠纵横拥汴梁

河南省开封市，地处中原腹地、黄河之滨，市内湖泊群布，河道纵横，其水域面积之大，在北方实属罕见，人们称之为“北方水城”。

开封是我国七大古都之一，曾经是历史上七个朝代的都城，拥有 2 700 多年的历史。开封历史上又称邑、大梁、汴州、汴梁等，“开封”一词源于春秋时魏国郑庄公为了向中原拓展，在此修筑粮仓，取名“开封”，有“开拓封疆”之意。因地处黄河岸边，周边支流丰富，不少帝王选此作为都城。

开封是一座水润诱人的城市，除了黄河，境内较大的水域还有柳池、黑池、龙亭湖、包公湖、铁塔湖及黄汴河等。由于历史悠久，黄河变迁，不少古代有名的水域已经消失，如沙海、蓬池、灵沼、汴河、惠民河等。

水，是历史上开封交通经济的命脉；水，为开封取得七朝古都的地位居功至伟。

公元前 364 年，魏惠王毅然将都城从安邑（今山西省夏县）迁于此，时称大梁，于是兴修水利，大力发展农业。同时疏浚河流，当时最大的工程是开凿汴河，沟通了宋、郑、陈、蔡、曹、卫，并使黄河与济、汝、淮、泗相连，汴河一段成为后来开挖的大运河中段的主要干道。魏逐渐成为诸侯中最强的国家，于是魏惠王首先在诸侯中称王，时称梁惠王。

隋炀帝“烟花三月下扬州”，开通了大运河，使开封成为南北交通要塞，漕运十分发达。纵横的河道也为朝廷练习水师提供了方便。后梁、后晋、后汉、后周以及北宋和金均在此建都。黄河在北宋之前十分安定，给沿岸的开封以一个平稳的发展环境，加上历代帝王对于都城水利的重视，开封一直是

一个风调雨顺、百姓安居乐业的好地方。北宋时期，开封发展到了巅峰。史书曾以“八荒争凑，万国咸通”来描述当时北宋东京都的盛况。开封被金兵攻陷后，由于远离京都，政府对开封水利的重视程度也下降了。而北宋以后，黄河改道，泛滥次数逐渐增多，使开封等城市遭受了不小的创伤，治理黄河成了在开封任职的官员的重要公务之一。明末，政府为了阻止李自成攻打开封，竟然打开黄河堤水淹开封城，开封受到重创。引领风骚数百年的一代都城，逐渐走上没落的道路。直到新中国成立后，凭借其“北方水城”的优势和丰厚的历史文化底蕴，古城开封才又重新繁荣起来。

龙亭在北宋时是皇宫所在地，在其左右各有一湖，一大一小，一清一浊，清澈的是杨家湖，浑浊的是潘家湖，杨家湖代表当时的杨家将，潘家湖代表当时的奸臣潘仁美。以湖水清浊喻忠奸，贴切有趣，也反映了开封人民爱憎分明的感情。而包公湖则是在开封府原址上形成的一个湖，据说这里在解放前曾有大小五六个湖泊相连，是开封最大的湖群。

黑池，古称沙海，早在《战国策》中便有记载，是开封历史最悠久的湖泊。隋文帝时曾加以疏浚，“引汴水习舟师，平陈后立碑其侧以记功”。唐代诗人孟浩然也曾留下“风吹沙海雪，来作柳园春”的诗句。

在黄河堤边还有一处湖泊，是开封市最大的湖泊，那便是柳池。1841年，黄河在这里决口，林则徐奉命前来堵口，修成一道月牙形大堤。后来，人们又修建了一条千米长堤，建闸蓄水，于是就有了柳池。

开封的水积淀着历史，凝聚着哲人的睿智、志士的拼搏、百姓的血泪和奋斗。这里曾经人才辈出，伊尹、阮籍、崔颢、宋祁等不少名噪一时的大家都出自开封。北宋画家张择端当时创作的《清明上河图》和《金明池争标图》，清晰地再现了北宋时期的繁华。

如今，开封正充分发挥其七朝古都的优势，引进投资，开发水景点，大力发展旅游。水，曾让这座北方水城兴旺发达，也曾给它带来了大灾难而逐渐衰落。在如今的机遇面前，它将因水而再次繁荣发展起来。

46. 洛阳

九朝古都洛水情

洛阳位于河南省西部，地处中原，横跨黄河中游两岸，素有“九州腹地”之称，是中国六大古都之一，向以“九朝古都”著称，建城史已有 4 000 余年。洛阳市总面积 15 000 多平方公里，总人口为 630 万左右。

洛阳，有“洛河之阳”之意，那是因为洛阳地处古洛水的北面，而古人称水的北面为“阳”。又因境内有伊、洛两水，旧称“伊洛”。洛阳是华夏文明的重要发祥地，自夏朝太康迁都于“斟鄩”开始，共有 13 个王朝在洛阳地区建都。隋唐时期的洛阳达到鼎盛，人口逾百万，四方纳贡，百国来朝，通商贸易，是真正意义上的国际性大都市。洛阳不但有千年古都的辉煌历史，还有璀璨深厚的文化底蕴。以“河图洛书”为代表的河洛文化，是华夏文明的第一个高峰。

洛阳市境内共有 27 000 多条大小河流、河沟，其中流域面积在 100 平方公里以上的较大支流有 34 条。这些河流主要属于黄河水系、淮河水系和长江水系，共三大水系。其中属于黄河水系的有伊河、洛河、涧河以及邙岭以北支流等，属于淮河水系的有北汝河及其支流，属于长江水系的有白河与老灌河等。

很早以前，古洛河的漕运就非常发达。据史书记载，早在西汉时期，每年从洛阳运往长安的粮食就多达 400 万石。东汉时，汉魏洛阳故城东太仓的码头，是当时全国最大的内河航运港口之一。这些从洛河两岸的历史遗存中可见一斑。这里的遗迹大都是粮仓、桥

梁，还有城堡和水利设施，都和漕运紧密相关。公元605年，隋炀帝一边迁都洛阳，一边着手开凿京杭大运河，主要是开掘通济渠和永济渠。这两条渠沟通了海河、黄河、淮河、长江、钱塘江五大水系，北通北京，南达杭州，形成了沟通中国南北和东部、中部的水运大动脉。大运河的开凿，使洛阳的地位更加重要，工商业得到空前发展。而洛河就是这条大动脉的核心，是大运河的神经中枢，它在隋朝是洛阳最重要的交通枢纽和御河。根据最新的考古发现，现在的洛河洛阳段，就是古代通济渠的西段，是人工开挖出来的运河，而非天然河道。

沿着洛河，夏、商、东周、汉魏、隋唐五大都城遗址依次排列，举世罕见，被史学界誉为“五都荟洛”。《竹书纪年》中记载的“帝尧祭于洛”，彰显了洛河在古代的神圣地位，而“河图洛书”的传说，则显示了河洛文化作为华夏文化源头的神秘底蕴。现在，洛阳正继续实施“洛河为轴线，两岸对应发展”的城市发展战略。

洛阳水利资源丰富，境内十余条主要河流蜿蜒其间，另外，在伊河上建有陆浑水库，在洛河上建有故县水库，还有黄河小浪底枢纽工程，都为洛阳的工农业发展和人们的日常生活提供了充足的水源保证。

以小浪底水利枢纽工程和峡谷河流为主要特色，黄河小浪底风景区集中体现了黄河的历史文化和自然风光。这里有龙山文化、仰韶文化的发源地以及新石器早期文化遗址。黄河小浪底水库内有很多半岛、孤岛和险峰，有曲折蜿蜒的河湾、烟波浩淼的湖面，被美誉为“北方千岛湖”、“中原北戴河”。景区内，还有号称“黄河三峡”的八里胡同峡、龙凤峡、孤山峡。

洛阳境内还有其他丰富的旅游资源。著名的龙门石窟是我国三大石刻艺术宝库之一。有“释源”、“祖庭”之称的白马寺，是中国官方修建的第一座古刹。而都城遗址、墓葬碑碣等珍贵的文化遗产更是数不胜数。秀丽的自然景观与独特的人文景观使洛阳的旅游业成为最具发展潜力的产业。

47. 商丘

水火相融上古城

河南省的东大门商丘古城，位于黄淮海平原东部，气候温和，农业发达，是中华文明的发祥地之一。这里是传说中燧人氏钻木取火之地，水资源丰富，黄河故道穿越境内，水火相融，孕育了深厚的华夏文明。如今的商丘市占地面积约 10 120 平方公里，全市总人口 800 多万。

据史料记载，商丘曾是上古都城。由于地理位置重要，自古就是神州重镇，历朝历代都在这里建国、立都、设郡、置州，亳、商丘、睢阳、宋国、梁国、宋州、宋城、归德府、应天府和南京等都曾是它见于史册的名字，是我国诸多古城中曾用名最多的一个城市，这也说明了商丘在历史上的重要地位。

黄河曾流经商丘，后来由于改道，黄河主道不在这一带，只留下一段故道。现今商丘境内的河流属淮河流域，分属洪泽湖、涡河、南四湖水系。主要河流有涡河、惠济河、沱河、黄河故道、浍河、大沙河、王引河等，皆呈西北东南流向，平行相间分布，流域面积都在 1 000 平方公里以上。

从商丘厚重的历史，我们就可以感受到这座古城的魅力，尤其是它的文化魅力。在这片土地上不仅出现了很多帝王将相，而且涌现出了众多的政治家、思想家、军事家、文学艺术家、科学家等。千百年来，从这片土地上流过的河流也像商丘的伟人一样数不胜数，有些河流湖泊已经从这片土地上消失，现今流淌着的河流，大多是古河流历尽变迁形成的，有的是近代才出现的。但是无论何时，在这片黄淮海平原之上，始终不曾没有水的存在。

水是商丘人的生命之

源，也是商丘文化的生命之源。这里是孔老夫子的祖居地；这里是思潮引领者庄子、墨子、惠施、魏元忠、张方平、石延年、侯方域的故里；这里是兼有男儿如山壮骨和女子如水清丽的巾帼英雄花木兰的故乡；这里是司马相如、枚乘、邹阳、韩愈、欧阳修、晏殊、苏辙等文学大家举杯投箸、曲水流觞之地……孟子曾在这里容居，孔子曾在这里讲学，刘邦曾在这里斩白蛇起义，颜真卿曾在这里留下墨宝，赵匡胤曾在这里发迹，范仲淹曾在这里读书执教，苏东坡曾在这里题榜，苏三曾在这里吟唱，李香君曾在这里抚琴……

商丘八卦城，城墙、城廓、城湖三位一体，使古城外圆内方，呈一巨大的古钱币造型，有商丘作为华夏之邦商品、商业、商文化发祥地之隐喻。传说帝喾次妃简狄，因吃玄鸟而生阏伯，阏伯便是商的始祖。城内地势为龟背形，按八卦图形修建，其保存之完整，内涵之丰富，国内罕见。

位于梁园区现存的黄河故道是从宋建炎二年至清咸丰五年黄河的故道。大堤曲折连绵，逶迤莽苍，雄伟壮观，像一条巨龙岿然横卧在豫东大地上，是商丘最大、最宏伟的历史景观，也是中国最长、最完整的黄河故道大堤。现在的黄河故堤已是鲜花簇簇，绿树成荫，花果飘香，有“绿色长廊”、“水上长城”之称，成为令人神往的地方。另外还有“豫东西湖”——夏邑县城湖，那里风光秀丽，历史悠久，动人的传说千古流传。

华夏文明源远流长，愿商丘这支文明流淌不息，将中国文化永远传承下去！

48. 武汉

九省总汇之通衢

武汉，简称汉，湖北省省会，人口800多万。它地处江汉平原东部，长江、汉水交汇处，水运交通发达，号称华中地区最大的都市，为中国大陆七大中心城市之一。武汉地貌独特，世界第三大河长江及其最大的支流汉水横贯市区，将它一分为三，形成了武汉武昌、汉口、汉阳三镇隔江鼎立的格局，三地发展也形成了各自的特色。

武汉水系发达，境内有长江、汉江、倒水河、滠水河和举水河等五大河流，水质优良。以城区为中心、以长江为主干构成的庞大水网，保证了良好的森林植被以及生态环境。长江蜿蜒于武汉境内，由汉南区进入武汉市，自西南向东北流，到天兴洲又折向东南，在左岭附近又折向东北，在新洲区大埠出境。长江武汉段水量巨大，汛期长，水位变化显著。河道平直，由于两岸丘陵的逼近，河道受到约束，形成了天兴洲、白沙洲等淤积沙洲。汉江从蔡甸区流入武汉市，在南岸嘴汇入长江，在武汉境内曲折蜿蜒。武汉的发展依托于它广阔的水系及它的长江重要港口的地位。武汉港曾是长江"黄金水道"的中转站，但随着长江航运的衰落，武汉港也逐渐转变功能而成为长途汽车站。近年来，国家及地方政府高度重视长江水运开发，使"黄金水道"

又有了复苏的迹象。省市政府也加大了对武汉港口的投资力度，加上外资的引进，武汉港口的硬件设施将会有一个质的飞跃，以便为武汉各个开发区的大小企业提供更好的运输服务。这也为武汉的发展注入了新的活力。

武汉历史悠久，名胜众多，近代博览会发源于此，3 500 多年的历史铸就了武汉恢宏的历史文化。著名的黄鹤楼胜景，始建于三国时期吴黄武二年(公元 223 年)，为实现孙权“以武治国而昌”的目的而建，其性质是军事化的，筑城为守，建楼以瞭望。至唐朝，逐渐转变为著名的景点。由于黄鹤楼临江临城，景致优美，历代文人墨客到此游览，留下许多家喻户晓的诗篇。唐代大诗人崔颢的诗“昔人已乘黄鹤去，此地空余黄鹤楼。黄鹤一去不复返，白云千载空悠悠。晴川历历汉阳树，芳草萋萋鹦鹉洲。日暮乡关何处是，烟波江上使人愁。”已为千古绝唱，黄鹤楼亦因此名声大噪。黄鹤楼文化的繁盛，使不少江夏名士“游必于是，宴必于是”。武汉的归元寺、辛亥革命纪念馆、东湖风景区等等，同样家喻户晓。

作为“九省总汇之通衢”的武汉，可谓群贤毕至、才俊荟萃。三代伟人孙中山、毛泽东、邓小平曾先后数次来到武汉；孙权江夏筑城、崔颢黄鹤楼题诗、岳飞屯兵武昌等史歌至今千古传诵；明代末年抗金统帅熊廷弼大修江堤的壮举，造福了广大人民。尤其是进入近代后，张之洞治鄂兴办工厂，开创了中国乃至东亚领先的现代工业先河；作为辛亥革命首义之地，产生了刘静庵、黄兴、孙武、蒋翊武等一批革命志士；这方水土还孕育了数不尽的名人，如历史地理学家杨守敬、地质学家李四光、文学家闻一多、哲学家熊十力等，他们在中国科技文化史的星空里闪烁着不灭的光芒。

在经济发展的同时，武汉非常注重自身城市生态建设，尤其是水生态的保护工作。历史带给武汉的是数不尽的荣耀，同时也激励着武汉继往开来。武汉长江大桥、长江二桥恰如腾飞的翅膀，飞越于长江天堑之上。

49. 荆州
水乡泽国育楚都

位于长江中游的重要港口古城——湖北荆州市是国家首批历史文化名城之一，是湖北中南地区的中心城市。荆州拥有人口 640 多万，占地约 14 067平方公里。

荆州城区沿江呈带状分布，南靠长江，上达重庆，下通武汉。境内有近百个湖泊，湖底平浅，江汉平原的 4 个大湖中有 3 个湖(长湖、三湖、白露湖)的大部分或全部都在荆州境内。其余的小湖有西湖、北湖、洗马池、江津湖、张李家渊等。城市内河流主要包括护城河、荆沙河、荆襄河、便河等。另外还有许多养殖用的小水域。荆州城内外的水体很好地构成了连续而富有变化、贯穿分布于整个地区的城市环境空间。

古人选址讲究近水利而避水患，为防水患，人们选择在河岸的凸起段居住。荆州所处的荆江段正是长江的转折处，具备了人居的基本条件。而中国古代大宗货物的运输主要靠水运，因此，在可通船的河岸上选址建城便成为重要原则，荆州凭借其沿江的优势，一直是古代历史上统领一方的政治、军事、经济、文化中心。从秦汉至清末，荆州城长期处于主导地位。西汉时，荆州城发展成为全国的十大商埠之一，位居南五都之首，具有较强的经济职能。长江改道后，发展的中心逐渐移向沙市，为楚国都城郢的外港、楚之江防重地和交通要冲，时名“江津”。至秦代，秦楚大道途经江津，于是江津便成为水陆交通交汇之地。至唐，江津设有水陆相兼的驿站，是南路的丝绸之路要津和繁盛的鱼米市场，设有市令，商贾云集。宋时，沙市开始沿江形成城市规模。此时的沙市已是“巷陌三千家”，“贾客云集，蜀舟吴船必经此”。元、明、清三朝，沙市商业、手工业大兴，成为区域

性商贸中心。清光绪二年,《中英烟台条约》将沙市辟为通商口岸。次年十月,沙市海关成立。至解放时,其城市形态属沿江团状密集型,后与荆州合并为现在的荆州市。作为长江中游重要的港口城市,荆州市的发展一直处于领先地位。

荆州自古就是水乡泽国,水是荆州城市文化的“魂”。荆州在绵长的城市发展历史中形成了独特的文化,尤以楚文化名扬天下。以当时的楚都纪南城文化为核心的楚文化成为这一地域文化乃至长江文化的代表,在中华文化中占有突出地位,吴越、巴蜀文化都源于楚文化。道家始祖老子关于宇宙本体的哲学思想体系发源于楚地,其核心思想在于顺应自然,忘却情感,不为外物所惑,这些思想也是古代山水文化和山水城市思想的理论渊源。荆州古城顺应水系的自由曲线形式的规划布局,正是这种浪漫主义思想的实体反映。荆州的古城墙顺水成形,城门依水而设,打破了我国古代城墙规则的建筑方式,这在历史上是非常罕见的,也是至今保存得最完好的一处城墙遗址。

历史在荆州留下了很多脍炙人口的优美传说和文人骚客的著名诗篇。“楚之水淖弱而清”,艺术的精灵注定要与“淖弱而清”的楚之水相匹配。水启迪人的灵心慧眼,水触动人的情感意绪。鲍照在江陵前后待了约 30 年,其诗以俊逸著称;明代公安三袁开创了“公安派”的文学流派,使之与“竟陵派”共同成为古代文学史上的两个重要派别。至唐宋,荆楚可谓俊彦云集、诗星荟萃——“初唐五言律第一”的杜审言,为盛唐诗坛开宗立派的孟浩然、岑参,还有张继、戎昱、陆羽、皮日休、宋祁、米芾等荆楚诗人词客,均为唐宋文学之名家。

“闻听三国事,每欲到荆州”,荆州是一个让人向往的地方。如今,荆州市充分利用城市的人文资源,延续历史文脉,以水为载体,紧密联系历史文化和地方特色,最大限度地发挥城市的功能,激发城市活力,将人的行为模式与创造特色城市景观综合协调考虑来建设这座山水古城。这楚之水,泽被荆楚大地的过去,也将继续滋润荆州市的未来!

50. 长沙
湘水流转话星城

长沙是湖南省省会，全省政治、经济、文化、科教、信息中心，是国务院首批公布的历史文化名城和第一批对外开放的旅游城市。长沙，还有一个动听的名字——星城。

长沙市的河流大都属湘江水系，支流河长 5 公里以上的有 302 条，其中属湘江流域的有 289 条。水系完整，河网密布；水量较多，水能资源丰富；冬不结冰，含沙量少。湘江全年可通航，为长沙市提供了丰富的水资源。长沙的地下水系也十分发达。长沙旧志称地下水为“穿水”、“漏水”，自古就有“长沙沙水水无沙”之说。

湘江，是长沙的母亲河，它滔滔南来，过昭山而入长沙城，经三汊矶又转向西北，至乔口而出望城县，再过岳阳入洞庭湖，流经长沙市境内约 25 公里。湘江两岸赤壁如霞，白沙如雪，垂柳如丝，樯帆如云，构成了美丽的长沙沿江风光带。而旧时的长沙，也依湘江而成一座水城，水域几乎占了长沙城的三分之一。南有老龙潭、南湖，北有碧浪湖，东有东池，而且这些湖泊多与湘江相通，形成许多避风的良港。城墙内街道之间河渠纵横，河渠均与护城河相连，南北两向的护城河又从东至西注入湘江。因而长沙城内以桥名为街名的街道特别多，如顺星桥、西湖桥、培元桥、登瀛桥、广济桥、戥子桥等，可以想见当时长沙水城的景致。

湘江流域，孕育了湖湘文化。唐代诗人杜牧被岳麓红枫所倾倒，“停车坐爱枫林晚，霜叶红于二月花”吟诵至今；青年时代的毛泽东横渡湘江，在爱晚亭边激扬文字，纵论天下，岳麓山从此造就了一代伟人。

富饶的湘江流域在孕育了

光彩照人的湖湘文化的同时，从湘江流域也走出了一批又一批的湖湘名人，如王夫之、魏源、陶澍、郭嵩焘、曾国藩、左宗棠、胡林翼、陈天华、蔡锷等。

而到了风起云涌的近代，湘江边上走出了一位世界伟人，那就是毛泽东。1911年春天，正值花团锦簇、鸟语花香时节，毛泽东身背行囊从湘潭县的一个小山村出发，来到长沙，自此踏上了革命道路。在湘江边上，他一住就是13年。在这里，他汲取新知识，立下宏图大志，发起成立新民学会，创办《湘江评论》，宣传马列主义，领导学生爱国运动等，最后走出湖南，走上了拯救中国之路。而后，他又几次回到湖南，回到星城，再临湘江，其中最为著名的莫过于1925年他途经长沙，重游橘子洲时，豪情满怀，挥笔写就的《沁园春·长沙》。

而湘中明珠——长沙，在湘江的流水中滋养着、壮大着，积千年之精华，深深地扎根在"三湘四水"的沃土之上。湘江所流经的地区，是湖南产业布局的重点区域和经济中心区域，在这其中尤以星城为核心的"长株潭"经济圈最为突出，星城经济的发展因受湘水之育而备受瞩目。

水，是一个地区经济发展的必不可少的重要因素，也是制约一个地区经济发展的影响因素。"湘江水情，半数原因在自身，必须铁腕治湘江"，这已经成为湖南人民的共识。重新认识水，倍加珍惜水，更好地发挥湘江的优势，是长沙人民对湘江污染的反思。构建一条生态的湘江，身体力行改善湘江生态，是长沙人民的实际行动。

长沙"青山绿水，亲亲家园"的城市环境，"心忧天下，敢为人先"的城市人格，"经世致用，伦理践履"的城市理念，"为天地立心，为生民立命；为往圣继绝学，为万世开太平"的城市价值观，"天人合一"的城市自然观，"合而不同"的城市伦理观，必将让这滔滔奔流的湘水见证它更为和谐的发展！

51. 岳阳
洞庭湖畔古巴陵

位于洞庭湖畔的湖南省岳阳市，是一座水润之城。地处一江（长江）一湖（洞庭湖）两原（江汉平原、洞庭湖平原）三省（湘、鄂、赣）的岳阳，总面积约1.5万平方公里，总人口500多万，是湖南省仅次于长沙的第二大城市。

岳阳古称巴陵，又名岳州。由于位于洞庭湖畔，水路通往长江、湘江、资水、沅江、澧水等，水运十分发达，故又称通衢。由于地处水路要道，自古就是东南一带的兵家必争之地。

岳阳是湖南省唯一的临江城市，是洞庭湖畔的一座水城。伟大爱国诗人屈原的殉国之地就在岳阳市境内的汨罗江。岳阳环城皆湖，除洞庭湖外，尚有南湖、团湖、芭蕉湖、枫桥湖、东风湖、吉家湖等。这些湖或将岳阳城紧紧相环，或嵌于城内，为这座古城带来了水的灵气，孕育了独特的洞庭文化和岳阳文明。

岳阳素称“湘北门户”，有着悠久的历史。新石器时代，人们就在这里伴水而居，饮洞庭湖水，捕长江鱼虾，繁衍生息。夏商时期，这里为荆州之城、三苗之地。春秋战国时代属楚。周敬王五十年（公元前505年）就在这里筑起了西糜城。秦并六国，岳阳市大部分地区属长沙郡罗县。西汉时属长沙国下隽县。建安十五年（公元210年），东吴孙权开始重视岳阳的战略地位，在岳阳境内设郡。三国鼎立之时，东吴派横江将军鲁肃率万人屯驻于此，修巴丘邸阁城。中国江南三大名楼之一的岳阳楼就是从那时开始修建，当时为鲁肃训练水师

的阅军楼。惠帝元康元年(公元 291 年)置巴陵郡,郡治设在巴陵城,从此岳阳城区一直作为郡治所。一直到清代,清政府开辟岳州为通商口岸。岳阳一称则始于民国二年,民国政府将巴陵改为岳阳,设立县制。新中国成立后,1975 年正式设立岳阳市。至今,这座洞庭湖畔的古城已经有2 500 多年的历史。八百里洞庭烟波,览尽岳阳盛衰。

岳阳总给人一种古老的神秘感,如“斑竹一枝千滴泪,红霞万朵百重衣”的湘妃传说,“尧之女,舜之二妃”的娥皇、女英的故事。

汨罗江畔,屈原的“路漫漫其修远兮,吾将上下而求索”,还在我们心中回荡,它为每一个对祖国充满热爱的华夏儿女留下了一笔精神财富。也因此,汨罗江成为蜚声中外的旅游胜地,中国传统节日端午节也由此起源,并产生了竞龙舟、裹粽子的风俗。

一湖洞庭水,八百里云梦泽,这里拥有的不仅是秀美的山水,留下的不仅是美丽的传说,也记下了古城岳阳的前世今生。“洞庭湖”的意思就是神仙洞府,可见其风光之绮丽迷人——湖外有湖,湖中有山,渔帆点点,芦叶青青,水天一色,鸥鹭翔飞。“衔远山,吞长江,浩浩汤汤,横无际涯;朝晖夕阴,气象万千。”范仲淹的千古名篇《岳阳楼记》,给洞庭绘出了一张最美的图画,也让岳阳楼声名远扬。其中更有“先天下之忧而忧,后天下之乐而乐”的千古名句,成为中华民族精神的精髓。岳阳楼不仅是建筑史上的辉煌,也是不少志士仁人精神的寄托。一代诗圣杜甫,拖着病体,瞻仰屈原祠,登临岳阳楼,并写下了著名的诗篇《登岳阳楼》。之后不久,就病死在岳阳市境内的平江县。范仲淹的好友滕宗谅,当初正是他托范仲淹写下《岳阳楼记》,也因不得志被贬于此,整修了岳阳楼,使其成为一处大观。

而今,岳阳作为洞庭畔水路直通长江沿岸的大城市,已经成为华中地区一处重要的货运中转站。云梦泽蒸起一城繁华,旅游业、农业、工业已经全面拉动了这个城市的发展。岳阳,已经成为并将继续成为华中大地上的一颗明珠。

52. 广州 珠江美景在羊城

广州，广东省省会，位于广东省中南部，是广东省政治、经济和文化中心。广州是中国仅次于北京、上海的第三大城市。它位于中国大陆的南部，毗邻香港、澳门，有中国“南大门”的称号。广州还是我国著名的华侨之乡，是华侨最多的大城市。广州又是著名的“水果之乡”，出产多达500多个品种，其中荔枝、香蕉、木瓜和菠萝被誉为“岭南四大佳果”。

自西汉时期的赵佗建立南越王朝开始，广州已有2 200多年的建城历史。“楚庭”是广州的最早名称，广州又称“羊城”，简称穗，还因四季花开不败而得“花城”美名。“广州”之名始于公元226年孙权统治此地之时。

全市水域面积约占全市土地面积的10%。珠江三大支流——东江、西江、北江——在广州境内汇合流入南海。所以汉唐以来，广州便是海上“丝绸之路”的发祥地，也是中国最早的对外贸易通商口岸。

广州境内河流主要分布在珠江三角洲。迎嘴河与琶二河都归属北江水系。全市大小河流众多，其中集水面积在100平方公里以上的就有21条，老城区共有231条河流。北部河流主要有流溪河、白坭河、增江；南部主要为三角洲网河区，大小水道纵横交错，水网密布，主要水道包括珠江广州河段、陈村水道、市桥水道、沙湾水道和虎门、蕉门、洪奇门三个出海口门。

广州濒临南海，珠江穿市而过，由于珠江口岛屿众多，水道密布，有虎门、横门、磨刀门等水道出海，使广州成为中国远洋航运的优良海港和珠江流域的进出口岸。先秦时代，广州便开始作为海上丝绸之路的始发港，虽历经千年之久，仍兴盛不衰。位于黄埔区的南海神庙已有1 400年历史，它不仅是国内现存唯一的海神庙，也是广州古代海上交通和贸易的重要史迹。现代航运更加发达，内河航运大多以广州港作为起点，上驶西江、北江、东江，下行可达珠江三角洲各大市镇。外海航线，则以黄埔港为起点。

广州本地水资源量少，但过境水资源量却非常丰富。这些客水资源为广州提供了重要的水源保障，同时也带来了极高的洪水风险。1994年和

1998 年的特大洪水，就是因为珠江流域西、北江普降大到暴雨，使得三角洲网河区各水道水位普遍升高而引起的。广州市还处在大海潮流作用的范围内，所以受到污染的水体更新较慢，这就使得很多水资源由于受到污染而不能得到有效利用。

千里珠江流经广州城下，将江中一个巨大的石岛冲刷得圆滑光润，如同珍珠，人称“海珠石”，珠江之名即源自“海珠石”。珠江广州段风光秀丽，两岸的名胜古迹和特色建筑物数目众多：曾经盛极一时的“十三行”，世界各国古建筑风格齐集的沙面建筑群，历经世纪风雨的粤海关大楼、赤岗塔、琶洲塔等。珠江水上旅游更是大受欢迎，尤其是夜游珠江，现在已成为羊城著名旅游路线之一。

广州自古以来就是一个开放的城市，融合中西文化，形成了具有地域特色的岭南文化。这种开放意识让广州人见多识广，从不因循守旧，也养成了广州人追求新鲜事物以及敢于改革创新的特质。所以，革命先驱孙中山才在广州创办了黄埔军校，毛泽东也在这里举办了农民运动讲习所，培养出大批革命骨干力量，从此这里成为中国近代革命的策源地和大本营。而在当代中国改革开放的坎坷道路上，广州人民凭着智慧和勇气一路走来，获得了成功。

广州人对于养育着他们的一方江水有着浓厚的感情。广州将承办 2010 年亚运会，耗资近 60 亿人民币的“青山绿地，蓝天碧水”工程建设一方面是广州市面向 2010 年所作的重大战略，另一方面，也将让广州“碧水绕城”，生态环境变得更加优越。

53. 深圳

海滨的经济特区

深圳，又称鹏城，地处广东省南部沿海，是中国第一个经济特区。因与香港的新界只有一河之隔，所以深圳又常被称为“香港的后花园”。深圳市总面积约 2 000 平方公里，其中，特区面积约 400 平方公里。深圳是一个移民城市，其人口随着经济的发展而不断增加。

深圳市以前是广东省的宝安县。宝安历史悠久，早在新石器时代就有人类在此活动。“深圳”建城于清朝初年，其名始见于明永乐八年，当地人民俗称田野间的水沟为“圳”或“涌”，“深圳”就是因其村落边有一条深水沟而得名。1979 年，国务院批准把宝安县改为深圳市。1980 年，又在深圳市划出一块地试办经济特区。深圳西部和西南是珠江口、伶仃洋，东部和东南是大亚湾、大鹏湾，海岸线长达 230 公里，海岸资源很丰富，通海条件优越，有优良的海湾港口。

深圳地处南海之滨，境内有大小河流有 310 多条，分属东江、海湾和珠江口水系，其中流域面积超过 100 平方公里的河流有深圳河、茅洲河、龙岗河、观澜河和坪山河等。海洋水域总面积达 800 平方公里，其中伶仃洋约 350 平方公里，大亚湾约 290 平方公里，大鹏湾约 150 平方公里。深圳现有中型水库 10 座，小型水库 240 多座，位于市区东部的深圳水库，是深圳居民生活用水的主要来源。

早在夏、商朝，深圳就是古老的百越部族远征海洋的一个驻脚点。由于海域辽阔，水产资源极为丰富，沿海居住的百姓多以捕鱼和航海为生，几乎没有农垦。到了宋朝，深圳已成为南方海路贸易的重要枢纽，盛产食盐和香

料。至元朝，这里出产的珍珠十分出名。明朝初年，中国舰队出使南洋，开航前必会到深圳赤湾的天后庙祭祀祷告。现在的深圳拥有8个港口和12个货运码头，在“十五”期间，深圳港新增万吨级以上泊位19个，集装箱吞吐量连续四年保持在世界第四名的位置。

深圳枕山面海，风光秀丽，曲折蜿蜒的大鹏湾海岸线长达70多公里，分布着很多水碧沙白的海滩，沙质柔软，海水清碧洁净，是天然的海滨浴场。深圳湾畔的红树林是候鸟迁徙的中途站，可观赏到形形色色的候鸟。总的来说，深圳东有大、小梅沙，大鹏半岛等黄金海岸，西有红树林、内伶仃岛自然保护区及海上田园等景区，是最天然的旅游胜地。

深圳利用这样的优势，开放了很多滨海公园和海滨浴场，例如：深圳西部海上田园旅游区、大小梅沙、深圳华侨城欢乐谷、深圳海洋世界以及最新旅游热点——金沙湾。在深圳蛇口，还有一个海上旅游中心，名为海上世界。它是由一艘法国制造的万吨豪华客轮“明华轮”退役后经整修、装饰改造而成的。

当然，深圳除了风景名胜区，还有不少历史文物旅游景点。新安故城就是目前深圳最具规模的历史文物旅游景点。它又称南头古城，已经有1 730余年的悠久历史。那里曾是广东省东南的政治、经济重镇，是晚清前深港澳地区的政治中心。还有以赤湾天后宫为中心的“赤湾胜概”，它集海光山色、帝陵古刹、赤湾炮台、南山峰烟、武林圣地、历代碑刻于一体。在明清时期，赤湾天后宫是沿海最重要的一座天后庙宇，也是深圳历史上最著名的人文景观，在当时的港澳台及东南亚各国享有很高的声誉。

但深圳受地形地貌影响，境内没有很大的江、河、湖、水库，多的是小河沟，分布广，干流短。现在市内小河流水源又受到污染，水质变差。可以说，深圳正面临着三大水危机：水资源短缺，水环境恶化，水安全隐患。目前，深圳城市规划委员会已通过《深圳水战略研究》，采取引水、储水、护水、惜水、净水、补水、治水、亲水、管水九项行动来解决深圳面临的三大水危机，这些举措将营造出一个人水和谐的新深圳。

54. 肇庆

岭南名郡粤语源

肇庆位于广东省中西部，面向香港、澳门，背靠大西南，是珠三角地区通往大西南的重要通道。自古以来，这里就是中原文化与岭南文化的结合点，历来都是西江流域的政治、经济和文化中心，史称“岭南名郡”。据考证，它还是粤语的发源地。

肇庆城是一座有着千年历史的文化名城，是远古岭南土著文化的发祥地之一。考古发现表明，距今14万年前，肇庆已生活着逐水而居的先民；大约5 000年前，肇庆的先民已有锄耕农业、家畜饲养业、编织业以及较先进的制陶业。宋徽宗赵佶亲赐御书“肇庆府”，取意为“开始带来吉祥喜庆”。

肇庆市境内主要的江河水网由西江、北江支流绥江、贺江等组成。西江从封开县江口入境，由西往东流经肇庆全境，在鼎湖区出境，然后从新会市的崖门流入南海，在此过程中形成了面积较大的河谷平原，绥江从北部怀集县入境，从四会马房出境，在河流两岸，也形成了面积较大的河谷平原。这两个平原连接在一起，与珠江三角洲相连。

这些河流带来的平原河谷，使肇庆成为广东重要的粮、糖、渔生产地。在航运方面，肇庆市境内有西江、绥江、北江、贺江等通航河流6条，其中西江是国内河流量仅次于长江的珠江水系干流，是国家重点建设的“一纵两横两网”内河交通要道中的“一横”，每年为肇庆输入输出了大量物资，为肇庆带来了巨大经济收益。在文化传播方面，秦汉时中原文化主要经西江传播到岭南地区，而肇庆正是西江通衢必经之地，加之汉代交趾刺史部绝大部分时

间设在肇庆地，使之成为岭南早期的文化中心之一。

肇庆与水相关的旅游资源非常多，如西江上有见证“包青天”清正廉洁的砚洲岛。传说包拯任端州知郡事三年期满离肇庆时，端州砚工为了表达他们对包公体恤民情的敬仰，送来了一方用黄布裹着的端砚。手下人见是一方石砚，并非金银珠宝，于是便收下了。谁知船出羚羊峡，突然波浪翻腾，狂风骤起。包公事感蹊蹊，立即查问手下人，得知事情始末后包公立即取来端砚抛入江中，刹时，风平浪静。后来，在包公掷砚处便隆起了一块陆洲，这就是砚洲岛。包砚的那块黄布，顺流而下，在不远处的西江边形成了一片黄色的沙滩，这就是现在的“黄布沙”。西江上另一个著名景点是被称之为“西江三峡”的羚羊峡，西江三峡由羚羊峡、三榕峡、大鼎峡组成，景色怡人，风光秀丽。

肇庆境内的著名水景观还有肇庆星湖风景区，它包括七星岩、鼎湖山两大景区。七星岩坐落在城区中心，因七座奇峰列峙如同北斗七星，故得名。附近有威东湖、青莲、中心、红莲、波海等五湖，总称星湖。鼎湖山，因相传黄帝在此铸鼎而得名，因山顶有湖，故又名额顶湖山。盘龙峡是肇庆著名的漂流胜地，从漂流源头开始顺流而下，一路上险滩不断，河道里自然障碍物多，而且水势多变、水流落差大，故盘龙峡漂流又号称“中国勇士第一漂”。

肇庆的水养育了一大批名家。汉代研究《左传》的专家陈钦、陈元就是肇庆人。陈钦曾向王莽讲授《左氏春秋》，自名为《陈氏春秋》；其子陈元，潜心为其父所著书训诂，自成一家；陈元之子陈坚卿在经学上也有造诣，后人称之为“三陈”。著名学者刘熙、许靖、许慈、袁徽、黄豪亦曾到此地避难、讲学，开岭南学术研究风气之先。三国时的士燮一家及南朝至隋唐时期的泷州陈氏，不但是一方豪族，而且颇有学识。他们在西江一带的活动，对促进肇庆古代文化的发展也作出了一定的贡献。而境内春秋战国墓出土的大量精美青铜器，亦表明肇庆地区在先秦时期就是岭南地区经济文化最发达的地区之一。

55. 南宁
邕江盛装绕绿都

南宁，是广西壮族自治区首府，全自治区的政治、经济、文化中心，也是祖国南疆的军事重镇。地处广西南部偏西，北回归线以南，坐落在四面环山的小盆地内。全市总面积约1万平方公里，总人口约280万。南宁属亚热带季风气候，阳光充足，雨量充沛，全年无霜。因市区绿化覆盖率近40%，形成了“城在绿中，绿在城中”、终年常绿、四季花开的园林风貌，被中外游人盛誉为中国的“绿都”。

南宁简称“邕”，别称“邕城”。历史上的南宁属百越领地，东晋大兴元年（公元318年），从郁林郡分出晋兴郡，郡治设在晋兴县城即今南宁，这是南宁建制的开始，距今已有1 690多年的历史。

南宁东邻粤、港、澳，南临北部湾，背靠云、贵、川大西南，毗邻越南，是大西南出海通道的重要咽喉，也是东南沿海和西南腹地经济区域的结合部，具有优越的地理环境。同时有邕江贯穿南宁市区，因此水资源非常丰富。

南宁地处珠江上游，南宁河流属珠江水系，上游的左右江和八尺江，自西方和南方流向南宁，汇入郁江，流经市区的南宁段称作邕江，是郁江自西向东流经南宁市及邕宁县河段的别称，水量充沛，具有较强的自净能力，而且地处亚热带北侧内部边缘，距北部湾海洋较近，受海洋季风影响，接近海

洋性气候，雨量充足，起到自然冲刷积存污水的作用。

南湖有着悠久的历史，它是南宁市现存的最古老的名胜古迹。早在1 300多年前，流经此地的邕江东流邕溪水，常因邕江涨水倒灌而淹没房屋农田。唐代景云年间(710—711 年)吕仁任邕州司马，他体察民众疾苦，召集民工在邕溪水两岸分流筑堤，建成人工水库，既减轻了洪水泛滥带来的灾害，又美化了家园。这座人工水库便成了后来的南湖。

灵水距南宁市区30 公里，在武鸣县城南 1 公里处。这是一个天然泉水湖，水面面积约5 000 平方米，水深 2～3 米，源于九股从石缝中涌出来的清泉，气势磅礴，永流不断，因此称“九龙喷水”。湖水终年澄澈见底，湖岸怪石嶙峋，绿树成荫。灵水有两大奇妙之处：一是不管大旱大涝，湖自不涸溢；二是无论寒冬暑夏，水温常年保持在 23 摄氏度左右，令人冬觉暖夏觉凉。终年四季，这里都是游泳胜地，是天然的泳池。

南宁的经济发展离不开水的滋润，各个旅游景点也是因为水的存在而变得生动，但是水也是制约城市发展的重要因素。南宁历史上不乏水旱灾害，邕江防洪古堤、古城墙，在南宁的历史中从不曾被遗忘。历史上也曾记载历代地方官员多次修筑防护堤的史实。20 年前，南宁城有内湖、池塘接近1 000 处，容水面积在千亩以上，可今日除了南湖外已所剩无几。南宁的城市建设将认真补好尊重自然和“规划先导”这一课，促成水与城市的可持续发展。

56. 桂林
山山水水甲天下

桂林的山，平地崛起，峭拔俊秀，如盘龙，像飞凤，如玉女，似金童；桂林的水，或曲折萦回，或澄澈碧透，如一条条玉带飘动在群山怀抱之中，如一颗颗明珠镶嵌在绿野之间。着实可美之曰："水之清凉世界，山之艺术宫殿。"

宋人李曾伯在《重修湘南楼记》里，第一次提出"桂林山川甲天下"。此话后来演变成我们所熟知的"桂林山水甲天下"，成为评价桂林山水的名句。

桂林山水之胜，冠绝西南。而桂林 2 000 多年的历史，使它具有丰厚的文化底蕴。桂林，古为百越之地，战国时属楚。公元前 214 年，秦始皇统一岭南，命史禄开凿灵渠，沟通湘江和漓江，使长江和珠江两大水系连接起来，桂林成了"南连海域，北达中原"的重镇。梁大同六年于始安郡置桂州，为桂林称"桂"之始。隋时复为始安郡。到了唐代，改为桂州总管府。据历史记载：桂林建城，始于初唐。此时李靖任总管，并屯兵于此。宋元为靖江府、靖江路。明洪武五年(1372 年)，改靖江路为桂林府，从此桂林正式定名。

如今，桂林处于"两江四湖"的环城水系中，"两江四湖"是指由漓江(市区部分)、桃花江、木龙湖、桂湖、榕湖、杉湖构成的环城风景带。风景带现已

开发出三个主题景区：以木龙古渡、古城墙为主景，宝积山、叠彩山等为背景，体现城市文化的木龙古水道景区；以山林自然野趣为特色的桂湖景区；以体现“城在景中，景在城中”山水城市空间特征为特色的榕、杉湖景区。

发源于兴安县猫儿山的漓江，是桂林风光的精华，也是世界上风光最秀丽的河流之一。漓江两岸山峰伟岸挺拔，形态万千，石峰上多长有茸茸的灌木和小花。而江中的山峰倒影，几分朦胧，几分清晰。百里漓江真可谓“水绕青山山绕水，山浮绿水水浮山”。而秦代开凿的运河——灵渠就在兴安县城边。

灵渠全长约 34 公里，是我国古代水利工程的杰作，与四川都江堰、陕西郑国渠并称为秦代三大水利工程。而且，它是我国，也是世界上最早的运河之一。渠以灵巧而著称，南宋范成大在《桂海虞衡志》中说：“治水巧妙，莫如灵渠者。”郭沫若先生也称之为：“与长城南北相呼应，同为世界之奇观。”自其建成至今，已有 2 200 年的历史。一直以来，它对中原与岭南地区的经济文化交流起到了极为重要的作用，对维护国家的统一、巩固边防有着不可磨灭的功绩。

桂林不仅仅是山水奇秀之地，还是一个人才辈出、名士留连之地。也许不为众人所知的是，在桂林曾出过一个皇帝。宋高宗赵构在当皇帝以前，曾任靖江节度使和桂州牧。按照古人的说法，桂林正是赵构的“龙潜”之地，所以说桂林出过皇帝。而我国历史上最后一个“三元及第”之人——陈继昌也是桂林人士。在近代史上，这里还是民主革命之地，1922 年 2 月 26 日，近代民主革命的先行者孙中山就是在这里举行的北伐誓师大会。历史上那些文人骚客对桂林的山水更是百般仰慕。

山得水而活，水得山而秀，加之对独具风情的壮、瑶、苗、侗少数民族及其山寨、鼓楼等旅游资源的开发，桂林早已成为一方旅游胜地，远近闻名。至今已累计接待了 150 多个国家和地区的入境旅游者 1 000 多万人次，80 多位国家元首先后访问游览过桂林。

57. 柳州

柳江九曲抱盆景

传说中刘三姐的第二故乡柳州是我国西部的工业重镇，是广西自治区著名的旅游名城和多民族聚居地。这座占地 5 300 多平方公里的城市青山环绕，秀峰争奇，一江柳江水，静静流过柳州城。这里聚居着 33 个民族，共约 350 万人口，是少数民族种类最多、所占比例最大的城市。

柳州是中国古人类"柳江人"的发源地，距今约 3 万年。"中日古人类与史前文化渊源关系"国际学术研讨会曾经鉴定："日本人与柳江人同宗共祖。"公元前 111 年西汉王朝在柳江建制，时称"潭中"，至今已有 2 100 多年的历史。唐天宝元年，改名为龙城郡。乾元元年，龙城郡复名柳州。柳州之名由此沿用至今。

柳州市总体上属珠江水系西江流域的柳江流域。柳江是柳州境内最大的河流，发源于贵州省，它宛如一条玉带蜿蜒曲折环绕市区，"江流曲似九回肠"，"三江四合，抱城如壶"，把市区北面划成一个"U"型半岛，形成了市区二面环山、一面傍水的美丽格局，被誉为"世界第一天然大盆景"。

柳州自古以来就是我国内陆与西南少数民族交流的重要场所。西汉设立郡制之后，柳州在历史上为我国的民族团结作出了巨大的贡献。但是由于京都离这一带较远，在历史上，曾是官员流放发配之地。如唐宪宗年间，著名诗人柳宗元遭受排斥和打击，便被派往柳州担任刺史。北宋王朝比较重视对广西少数民族地区的开发，开设便于"汉蓄互市"的商业贸易场所——博买务，促进了桂西北和柳州之间的商品交流。元朝时期的柳州是武昌到海南琼山县这条贯通南北的陆路交通干线的中继驿站，水路交通除原有的柳江东西航线外，还在柳江支流洛清江设置了五个驿站。农民起义持续百余年、官兵镇压引起的战乱使融江流域和柳州城之间的商品流通受到阻碍，破坏了西江航运，使柳州和桂东南的经济活动难以正常开展，城市生活变得萧条。明末，由于李自成起义，这一带又成了一个兵荒马乱的地方。清末民初，柳州工商业又迅速发展起来。龙江、融江两岸和柳州城附近

地区出产的米谷，汇集柳州，然后沿柳江运往梧州、广州。由于货物吞吐量大，城南沿江北岸柳堤一带建有码头16处。到了近代，柳州这个“桂中商埠”的经济地位，就越来越重要了。

当然，在这个传唱着“歌仙”刘三姐山歌的地方，还有许多让人留恋的风景名胜、民俗：有立鱼峰和小龙潭；有“城在山水园林中，山水园林在城中”的柳州城；还有柳州“四绝”——壮族的歌、瑶族的舞、苗族的节和侗族的楼。都让人如痴如醉。

融水贝江风景区位于融水苗族自治境内。贝江古称脊江，因流过县城背面而得名。贝江飞虹、苗楼秀色、山湖叠翠，走进贝江，苗寨风情和山水美景，令你如同进入世外桃源。龙女沟有龙女潭、双龙洞、龙门、龙女瀑布、苗家侗寨人文景观等山川景色，清澈原始的自然风光尽显柳州山水风情。湖面垂钓，品尝民族风味晚餐，会让你领略到自然清新的侗族民俗。

柳州应永远铭记的一个人是柳宗元。唐宪宗年间，柳宗元被排挤发配柳州，四年后在柳州过世。在任四年间，柳宗元传播儒学，动以礼法，改革弊政，解放奴婢，并带领柳州人开荒挖井，发展生产，对促进当地的生产、帮助人民解决生计问题，起到了相当积极的推动作用，也为后世人留下了千古传颂的治政美誉。

“唱山歌嘞，山歌好比春江水……”，在柳州城的大山之间，回响着刘三姐甜美的歌声。柳州的立鱼峰和小龙潭就是传说中刘三姐升仙的地方。在清凉国洞中，还曾经供奉过刘三姐的神像。她是古代劳动人民智慧的化身，是平民的代言人，她的山歌道出了民声民心。

如今，柳州工业十分发达。加之优越的地理位置，使它成为西南交通的心脏，是全国唯一拥有大区铁路局总部的非省会城市。

58. 海口
美丽的椰岛水城

海口，海南省省会，是海南政治、经济文化的中心，海、陆、空交通的枢纽。由于它位于海南岛最大的河流——南渡江口西侧，又是南渡江的出海之口，故取名为海口。

远古时代，海南岛与中原大陆连为一体，有如瓜架下的一个葫芦。后来由于地壳断裂陷落，狭长地带下沉消失，形成琼州海峡，海南岛便与大陆分离，孤悬海外，与雷州半岛隔海相望。因海南岛处处是椰树椰林，故有“椰岛”之称。海风吹拂，椰树生风；海潮拍岸，风生韵起。

曾经，海口湖塘星罗棋布，河叉纵横交错，水系发达，水面湿地面积较大，大小湖泊多达 200 个。

民国时期，城区有巴伦河（即美舍河）流过，该河原有两条分支，一支流向海甸河，另一支从现省委大院后面流到三角池，最后流入东、西湖，其间经过博爱南路、海秀东路。20 世纪 70 年代，旧海关附近还有一条河流，从新华北路后面流过，并流过义兴街、彰兴街、富兴街、永兴街四个街口，继续流经百货大楼、西门外、青少年宫，还有大同路。此外，红城湖也有一条河流，得胜沙后街是盐灶河。

而作为海甸岛排洪主要通道的鸭尾溪，由于盲目发展，忽视了河流的自然属性，人为地侵占河道，造成河道变窄，流水不畅，而失控的临溪商业性经

营活动更导致鸭尾溪水质恶化，成为海口市人为破坏最严重的一条河流。

当代，由于围海造田，填湖取地，水面锐减，湿地变少。外沙河、白沙河，还有许许多多叫不上名字的河流，那些曾经留在地图上、留在老海口人记忆中的河流，由于城市的发展、人们生态保护意识的滞后，消失的消失，改变的改变。目前，流经海口市中心城区的主要江河有南渡江（含龙塘饮用水源点）、美舍河、龙昆河（东、西崩潭）、五源河等；中心城市的主要湖溪有红城湖、东湖、西湖、大同沟、龙昆沟、秀英沟、板桥溪、鸭尾溪以及海关分洪沟、电力村北侧排洪沟等。

在 2 000 多年的历史中，海口积淀了弥足珍贵的文化遗产，像五公祠、海瑞墓、秀英炮台、琼台书院、中共琼崖第一次代表大会旧址、李硕勋烈士纪念亭等市民耳熟能详的文物景点；闻名于世的 5 条历史文化街区（骑楼街区），是海口由古老城镇发展为沿海繁华都市的历史见证，具有重要的建筑、历史和艺术价值；海口火山口地质公园及环绕火山形成的原生态古村落文化、火山文化，更是海口自然与人文密切相联的一道靓丽的风景线。

海口非物质文化遗产也极具地方传统特色。如海南八音、海南公仔戏、龙塘民间雕刻艺术、府城元宵换花节、新坡军坡节、海南椰雕等，这些都是海口历史文化名城的人文“建筑构件”，是城市发展的重要历史文脉。此外，海口人文荟萃，如两伏波将军、冼太夫人、五公、苏东坡、白玉蟾、丘濬、海瑞等历史名人，都曾在中国历史上留下浓墨重彩的篇章。

目前，海口主要通过人工湖泊建设，水环境综合整治和修复、引清补源、沿岸绿化、湿地保护和制度建设等，使海口“水清、水活、水净、水美”，“海洋、江河与湖泊”水景观交相辉映，“滨海湿地与河湖湿地”遥相呼应，“蓝天、碧水、绿地”相互融合，打造一座人水和谐发展的环境友好型绿色生态城市。

59. 三亚

天之涯与海之角

三亚是中国最南端的热带滨海旅游城市，是海南省南部的中心城市，是我国东南沿海对外开放黄金海岸线上最南端的对外贸易重要口岸，是祖国真正的南大门。近年，三亚以其独特的“山、河、海”自然风光与优美的环境闻名于世。三亚市的大气质量全国第一，世界第二。很多游客认为三亚“不是夏威夷，胜过夏威夷”。

三亚历史悠久。考古学家在落笔洞发现了1万年前的三亚人遗址，沿海一带还发现古波斯人的墓群。明代的《正德琼台志》里已有关于“三亚村”、“三亚里”的记载。三亚市古称“崖州”，三亚地名的由来与三亚河紧密相关。三亚市区有大坡水和临川水，两河与三亚河在市内交汇，三条河流形同“丫”字，所以三亚始称“三丫”，而“丫”与“亚”是谐音，后来就变成“三亚”了。

三亚市境内有中小河流12条，其中独流入海的河流有10条。流域面积在100平方公里以上的河流有4条，它们是东部的藤桥河，中部的三亚河、大茅水，西部的宁远河。而根据水资源的分布情况，三亚市河流可分为中、东、西部三个水系。中部水系以三亚河为主，包括大茅水；东部水系以藤桥河为主，包括藤桥西河和藤桥东河；西部水系以宁远河为主，它是海南省第四大河流。

因为三亚远离都城，所以一直被称为“天涯海角”，加之海峡屏障的制约，所以历史上的三亚经济也较为落后。明清时期，这里成为军事重镇，“重军轻农”导致农业生产很落后。直到民国年间，当时的崖县政府才开始注重农业生产，很快三亚的甘蔗与糖业就在海南岛处于领先地位，还成立了4个农业垦殖公司。当时的三亚港也成为琼南地区重要的渔盐港，海上航线可通海口、广州等港口。

三亚市海洋资源非常丰富。它是全国海洋大市之一，海岸线长达200多公里，海域面积达5 000多平方公里。而且三亚属南海海域，是发展海洋捕捞和海水养殖加工业的黄金海域。这里的鲨鱼翅、海参、鲍鱼被誉为“崖州

三珍”。三亚拥有中国最好的海湾，沿着海岸线有大东海湾、三亚湾、亚龙湾、海棠湾、崖州湾等十多个海湾。三亚市还有很多港口，主要的有三亚港、榆林港、南山港、铁炉港，六道港等。这些港湾同时也是非常美丽的风景区。但是，三亚全市的水资源利用率极低，开发难度大。

此外，三亚市又存在着洪涝灾害与干旱缺水并存的问题，制约着经济社会的可持续发展。

作为知名的度假胜地，三亚风光绮丽。美丽的三亚湾，以其丰富的热带海滨旅游资源而誉满天下。这里有天涯海角游览区、大东海风景区、亚龙湾国家旅游度假区、三亚湾风景区等早已名扬天下的著名景点。这片海域中的珊瑚和热带观赏鱼群的海洋生态景观非常珍奇。此外还有崖州古城、鉴真和尚东渡日本时避风登陆遗址等人文景观。

三亚受到中原文化的润泽和影响深远，地灵人杰，物华天宝，人才辈出。尤其是元代出现的“崖州织女”黄道婆，她是我国古代一位伟大的女性，她改革了棉纺织技术并让棉纺织技术传遍大江南北，引领中国人衣料的一次大变革。连欧洲人也说：“中国的土布，穿暖了我们的祖先。”还有明代的“岭南巨儒”钟芳、清朝举人林缵统，后者积极投身“公车上书”和“百日维新”运动，参加“戊戌变法”，他们都是海南人民永远的骄傲。

三亚市的城市发展规划的目标是：“旅游度假，生态示范”的现代化城市。因此，三亚需要现代化的水利与其经济和社会的现代化相适应，建设生态节水型社会对于三亚市来说是必要的。所以在对水资源的开发利用的同时，要强调对水资源的配置、节约和保护，注重生态建设。

近年来，三亚市兴建了很多中大型水库以缓解水资源匮乏的压力。在三亚市西部的宁远河中下游，号称是海南最大水利枢纽的“大隆水利枢纽工程”已经建成，这一具有防洪、供水、灌溉兼发电等综合效益的工程极大地缓解了海南岛南部洪涝灾害和干旱缺水问题。

60. 成都
府南二河秀蓉城

成都市位于四川盆地西部平原，是“天府之国”四川省的省会，是我国著名的历史文化名城，也是西南地区重要的商贸、金融、科技中心、交通和通信枢纽，是一座综合性、多功能的内陆特大开放城市。总面积约 1.23 万平方公里，总人口 960 多万。

成都简称“蓉”，五代时，后蜀皇帝孟昶命百姓遍植芙蓉，花开时节，满城生辉，故成都被称为“蓉城”，而因其织锦闻名又称“锦城”。成都是我国西南开发最早的地区，也是全国二十四座历史文化名城之一。从有确切记载算起，成都已有 2 300 多年的历史。早在公元前 4 世纪，蜀国开明王朝迁都城至成都，取周王迁岐“一年成邑，二年成都”，因名成都，相沿至今。

成都市河网密布，属半水区域。境内主要有长江的支流岷江、沱江两大水系，共 40 多条大小河流，水域面积 700 多平方公里。古代世界城市文明多诞生于“两河流域”，成都城市文明就诞生于古府河与古南河之间的地带。环绕成都古城垣的府河和南河，自汉代以来就有个富有诗意的通称——“锦江”，又称“二江”。

“锦江”的得名与都江堰相关。在古蜀时代，岷江进入成都平原后的水流是散漫浑浊的，平原一片沼泽，难以农耕。战国后期秦国成都太守李冰开都江堰，“穿二江成都之中”，古油子河和古清水河得到治理，浊流变为清江，水害变为水利。没有都江堰的修建，就不会有洁净的锦江；没有都江堰，锦

江难成水利；没有锦江，都江堰难以滋润成都。两者是紧密联系，不可分割的。都江堰使成都平原成为沃野千里、水旱从人的天府，锦江使成都成为繁荣富庶的名都。都江堰与锦江都是成都城市文明的摇篮。

新中国成立后，随着都江堰灌区的不断扩展以及成都东郊工业区的崛起，府、南二河发生了显著的变化：城区河段鱼虾绝迹，水产功能消失；优美的水环境荡然无存，风景黯然失色；河床淤塞、河岸垮塌、河道被占，又削弱了防洪功能。面对强烈的历史反差，1993年，成都人开始对府河、南河进行综合治理，历时六载取得巨大成就，1998年、2000年成都两度荣获联合国颁发的"联合国人居奖"、"优秀水岸最高奖"、"环境地域设计奖"、"国际地方首创奖"、"联合国最佳范例奖"。目前，两河水量虽然仍显不足，但紫坪铺水库的供水规划使两河得以清水长流。

成都是古蜀国文化的重要发源地，早在商周时期就创造了高度发达的青铜文明。西汉时期，蜀郡守文翁在成都创办了中国历史上第一所官办学堂——石室学堂。当时第一流的辞赋家司马相如、大文学家扬雄、道学家严君平等都出自成都。此后成都还出现过唐代著名音乐专著《乐府杂录》的作者段安节，五代著名词人孙光宪、画家黄筌，北宋史学家范镇、范祖禹，明代一流学者杨升庵，以及现代作家巴金等一大批文化名人。唐宋期间是成都文化最为繁荣的时期，著名诗人李白、杜甫、李商隐、元稹、苏轼、陆游、范成大等都曾流寓此地，为成都留下了丰富的文化遗迹。

如今，深厚的文化底蕴和独具的风土人情彰显着这座历史文化名城的恒久魅力，孕育着"和谐包容，智慧诚信，务实创新"的城市精神，为日新月异的城市建设更平添了一份迷人的现代气息。

61. 都江堰 川西锁钥润天府

中国历史文化名城、首批中国优秀旅游城市四川省都江堰市，地处成都平原的西北边缘，水资源丰富，气候温和，农业非常发达，是“天府之国”的一部分。因其风景优美，素有“幽甲天下”之称。

都江堰市古称灌县，古蜀时期由于李冰父子在此兴修都江堰水利工程，因而得名。都江堰水利工程的修建为这一带的农业发展提供了非常优越的条件，为成都平原赢得了“天府之国”的美称，都江堰市也一直是蜀中的一块富饶美丽的宝地。

都江堰市水系密布，岷江正流金马河从西面绕城而过，六大干渠沙沟河、黑石河（金马河）、江安河、走马河、柏条河、蒲阳河成扇形贯穿全市。其中岷江正流主要起排洪作用，其余干渠为川西平原的主要灌溉河流。

都江堰市的主要水源是岷江。岷江是长江上游较大的一条支流。在古代，河水经常泛滥，造成洪涝灾害。秦昭襄王五十一年，秦国蜀郡太守李冰和他的儿子，吸取前人的治水经验，率领当地人民，主持修建了著名的都江堰水利工程。都江堰的整体规划是将岷江水流分成两条，其中一条水流引入成都平原，这样既可以分洪减灾，又可以引水灌田、变害为利。从此以后，岷江成为造福成都平原的一条河流。都江堰水利工程是我国水利史上的奇迹，它设计精巧，施工科学，充分利用地形，巧夺天工，分水堤、溢洪道、宝瓶口三项工程相互制约、相辅相成，联合发挥引水、分洪、排石输沙的重要作用。直到今天，它依然创造着巨大的效益。它的设计建造者李冰父子也因此为人们世代供奉。直到今天，民间还有传统节日放水节，以纪念李冰父子。放水节定在每年农历二十四节气的清明这一天，在纪念李冰的同时，也为了庆祝都江堰水利工程岁修竣工和进入春耕生产大忙季节，民间都要举行盛大的庆典活动，包括官方祭祀和群众祭祀等。

都江堰是我们华夏祖先的杰作。汉代史学家、文学家司马迁曾“西瞻蜀之岷山及离堆”，是第一个在史书上记载都江堰的人。晋代史学家常璩将考察都江堰山川古堰的见闻，写在著名文献《华阳国志》中。唐代诗人杜甫、岑参、贾岛，宋代文人苏轼、陆游、范成大和明、清的杨升庵、郭庄、李调元、张之洞，近现代书画家张大千、徐悲鸿、赵朴初、谢无量及冯玉祥、于右任、林森等名人雅士，都曾为这里的壮丽景色所倾倒，留下了许多脍炙人口的诗词和珍贵的书法绘画佳作。新中国成立后，党和国家领导人毛泽东、刘少奇、周恩来、朱德、邓小平、董必武、贺龙等，曾先后来都江堰市视察。

元朝初年，意大利旅行家马可波罗游览了都江堰，他在其游记中记述道：“都江水系，川流甚急，川中多鱼，船舶往来甚众。”清同治年间，德国地貌、地质学家李希霍芬来都江堰考察，盛赞都江堰灌溉方法之完美及无与伦比。建国至今，先后共有 60 多个国家的元首和政府首脑来都江堰市参观游览。

到都江堰市，必去游览都江堰景区，领略古人超凡的智慧，也可感受都江堰景区优美的自然风景和丰富的文化遗产。

在都江堰市内有一处桥叫安澜桥，又名“夫妻桥”，始建于宋代以前。这座桥位于“都江堰鱼嘴”之上，被誉为“中国古代五大桥梁”之一，是都江堰最具特征的景观。索桥以木排石墩承托，用粗竹缆横挂江面，上铺木板为桥面，两旁以竹索为栏，全长约 500 米。原桥明末毁于战火，现在的桥为钢索混凝土桩。

翠月湖也是都江堰市的一处风景优美的胜地。景区紧临岷江河畔，林木苍翠，遮天蔽日，湖水碧澄清丽，波光粼粼，湖畔杨柳婀娜，亭台水榭参差点缀，有“蜀中小西湖”的美誉。

随着时代的进步和经济的发展，都江堰市的水资源也将面临着形势的考验。相信饮着岷江水的都江堰市，会继续以水为源，以都江堰为依托，迎接更大的挑战，不断前行。

62. 乐山
三江会流有大佛

乐山位于四川省的西南部，东邻自贡和内江，南靠宜宾和凉山彝族自治州，西连雅安，北临眉山地区。乐山古名嘉州，是岷江、青衣江、大渡河三江合流，凌云山、乌尤山二山竞秀的地方，素有“鱼米三江金天府，峨山沫水秀嘉州”的美誉。因古代盛产色香俱佳的海棠，故亦有“海棠香国”之称。

乐山历史悠久，是我国的历史文化名城。远在 3 000 多年前的巴蜀时代，就曾是蜀王开明部族的故都。后来秦灭巴蜀，乐山隶属于蜀郡，因在成都的南面，故定名南安。隋朝初年，乐山设州，取名嘉州。原南安县改名龙游县，传说隋朝军队从成都乘船向乐山进军、追击陈国败兵时，岷江中有游龙导航，帮助隋朝军队，因此得名“龙游”。清雍正时期，因西南闽江对岸有至乐山而改龙游为“乐山”。

乐山境内河流众多，著名的有岷江、大渡河及青衣江。岷江又称汶江、导江，因“岷山导江”而得名。岷江发源于岷山弓杠岭和郎架岭，乐山为其中下游的分界。乐山以上至都江堰市为中游，岷江在这段内流经成都平原地区，与沱江水系及众多人工河网一起组成都江堰灌区；乐山以下则为下游，以航运为主。大渡河古称沫水，发源于青海省巴颜喀拉山南麓，在乐山注入岷江。大渡河流域自然资源丰富，除矿产和动植物资源外，还有充沛的水力资源，著名的龚嘴电站和铜街子电站就在这条河流上。青衣江是四川省内的一条河流，它源于峨眉山，在乐山汇入大渡河。除岷江、青衣江、大渡河三条骨干河流外，乐山还流淌着中小河流 56 条。

河流在乐山发展过程中的作用巨大，防洪、漂木、提供生活用水等自不必说，还有灌溉良田的功用，河水过处，无不显出蓬勃生机，这也造就了乐山重要的粮食、经济作物和畜禽产区的地位。乐山市位于岷江、青衣江和大渡河三江汇合处，航运能力也较强，在历史上一直是成都平原、川西山地和大小凉山之间相互交往以及通向长江流域各处的必经之地。

乐山还是一处旅游胜地。在乐山市郊，岷江、青衣江、大渡河三江汇流处，依凌云山凿有大弥勒佛一座，与乐山城隔江相望。这也是当今世界第一大佛，被誉为“山是一尊佛，佛是一座山”。据说当年造成大佛，是因为这三江汇流之处水势异常险恶，来往舟船经常遭遇舟毁人亡的惨祸，所以凌云山中的凌云寺高僧海通决定在山前峭壁上开凿大佛像，既以佛力镇水，又使山石凌空坠江，积石江中以减缓水势。大佛在唐玄宗开元初年开凿，海通圆寂后，工程一度停顿，后又由剑南四川节度使韦皋继续组织施工，直到唐德宗贞元十九年才完成，历时 90 年。除乐山大佛风景区外，乐山市境内还有以清幽著称的岷江平羌小三峡，有江水如镜的“小西湖”五通桥，有沙湾大渡河美女峰石林风景区，有具有中国“百慕大”之称的峨边黑竹沟风景区等。

乐山自古以来就是一个地灵人杰的文化之乡，当代文豪郭沫若就出生在乐山。因为乐山有沫水、若水流经，“沫若”的名字由此而生。乐山还出过李密、苏洵、苏轼及苏辙等著名文学家，当代“画坛怪杰”石鲁也生于此。历史上，李白、杜甫、岑参、范成大、黄庭坚、陆游等文化名人或在乐山为官，或在乐山游历，留下了众多脍炙人口的诗篇。乐山是四川文化最发达的地区之一，从现今出土的上万座汉代崖墓中出土的实物就可以一窥汉代乐山地区的社会文化发展水平，其中最有代表性的是汉代文学家郭舍人在乌尤山注释《尔雅》的遗迹。

乐山的水利建设历史悠久，战国时期，秦蜀守李冰为避洪患，开凿麻浩河，分江溢洪，形成了四面环水、林荫浓密的乌尤“离堆”。如今乐山更是充分利用其能源优势，发展水利事业。其中的首批全国工业旅游示范点龚嘴水力发电总厂格外引人注目，它位于四川省乐山市大渡河下游，下辖龚嘴、铜街子两个水电站，是四川省重要的能源基地。

63. 泸州

两江交汇育酒城

泸州市，四川省辖市，位于四川省东南部川渝黔滇结合处。它扼长江、沱江之咽喉，是四川出海的南通道和长江上游重要港口。

泸州市为中国历史文化名城，历史悠久。夏、商时属于梁州。西汉景帝封苏嘉为江阳侯，在长江与沱江交汇处（今泸州市江阳区）设置江阳县。而泸州之名始于梁朝，据说因梁武帝曾经到过金沙江、岷江汇流处的马湖（即泸水）江口，借泸水之名而得“泸州”。泸州又名“酒城”，此名得于朱老总。1915年除夕，朱德在泸州与友人共度佳节，因有感而作诗一首。诗曰：“护国军兴事变迁，烽烟交警振阛阓，酒城幸保身无恙，检点机韬又一年。”酒城之名因此而得。

泸州市境内河流众多，长江自西向东横贯境内，沱江、永宁河、赤水河、濑溪河、龙溪河等交织成网。其中沱江是泸州除长江外最著名的河流。它为长江上游支流，古名外江、中江、中水，因“岷山导江，东别为沱”，河流蜿蜒弯曲，滩江相间，故名“沱江”。沱江源于绵竹县九顶山东麓，它南流到金堂县接纳岷江分水——昆河、青白江、湔江及石亭江等4条上游支流后，在泸州市汇入长江。

泸州自西汉置郡，至今已有2 000多年的历史。凭两江舟楫之利，历史上的泸州自然成为川、滇、黔、渝结合部的物资集散地和川南经济文化中心。千百年来，沱江养育着两岸人民，可以说，沱江孕育了泸州数千年灿烂的历史文化。

泸州的水景观非常多，因其特色各异，吸引了众多的游人。其中最著名的要数沱江“小三峡”。景区包括鳖灵峡、明月峡、九龙峡、九龙滩、九龙长湖等景点。鳖录峡相传为古蜀王望帝之相——鳖灵所开凿，峡中半山岩有三皇庙，则是为祭礼鳖灵而建。峡短而窄，宽阔的沱江在此被挤压成一条碧绿的细流，两岸峭壁高耸，险峻异常。明月峡是小三峡中最长的一段，左有炮台山，右有云顶山，隔峡对峙，中有三皇滩、蛤蟆滩、半边滩等诸滩相连。九

龙峡两岸均匀间隔着9条灰色山脊，由右岸沿江而下，宛如9条巨龙游于峡中，故而名之。因此而得名的还有九龙滩、九龙长湖。九龙长湖位于沱江“小三峡”出口处，长湖末端建有具有现代设施的水上世界游乐场。

泸州出产的泸州老窖酒和古蔺郎酒使之成为我国唯一拥有两种国家名酒的地区。泸州酿酒史长达400多年。其始建于明代万历年间的老窖池群为我国建造最早、连续生产至今的老窖池群，也是我国白酒行业唯一经国务院批准的全国重点保护文物。而“泸州”牌泸州老窖特曲（大曲）酒，是中国最古老的四大名酒之一。

泸州市的水养育了诸多名人，其中较著名的有国画大师蒋兆和，他的不朽之作《流民图》以百余个人物形象展现了北平沦陷区在日本侵略者铁蹄下，哀鸿遍野、尸骨横陈的人间惨象，被称为“中国国宝”。另外，还有美学家、雕塑家、文艺评论家，原中国艺术研究院副院长、教授王朝闻，导演、中国“四大名导”之一的凌子风，作曲家罗念一。另据有关人士考证：状元杨升庵那首著名的“滚滚长江东逝水，浪花淘尽英雄”词就是在客居泸州时写的。

境内各中小河流河床较陡，落差较大，加之雨量充沛，能够提供非常丰富的水能资源。在泸州诸多水利工程中，比较有名的是古蔺县龙爪河引水工程，其位于古蔺县龙爪乡境内，工程由水库枢纽、灌溉渠系和城市供水厂三大部分组成，是一个以县城供水、农田灌溉为主，兼有发电和旅游开发等综合功能的中型水利工程。

64. 自贡 千年盐都与灯城

自贡市位于四川盆地南部、长江上游的釜溪河畔。它拥有 2 000 年的盐业历史，素以“千年盐都”、“恐龙之乡”、“南国灯城”而闻名中外，是国家级历史文化名城、对外开放城市、全国卫生城市和四川省级风景名胜区。

自贡得名于两座古老的盐井“自流井”、“贡井”。盐是这个城市的灵魂，在发展过程中，自贡经历了因盐建镇、置县、设市的过程。早在东汉时期，这里的人们就开始采卤制盐。北周时，设公井镇。唐代所产食盐通过釜溪等河流远销湖北、江西等省，由此公井镇升为公井县。1835 年，“桑海井”钻凿成功，深达 1 001.4 米，成为世界第一深井，开创了世界钻井史上的新纪元。清朝时自贡进入鼎盛时期，被誉为“富庶甲于蜀中”的“川省精华之地”，先后开凿了 1.3 万多口盐井。1939 年 9 月 1 日，设立自贡市。

自贡市的母亲河釜溪河属长江水系，发源于荣县北境尖山子，自西向东流经自贡，最后在富顺邓井关从右岸汇入沱江，干流沿岸分布着许多重要城镇、街道、机关、厂矿、学校，是自贡经济核心地带。釜溪河古时称荣溪河，清代至 20 世纪初，又叫自井河、盐井河，到抗日战争时期，才确定今名。2005 年 11 月，自贡市投入巨资改造釜溪河，使其成为一条改变自贡城市面貌的景观河流。

釜溪河是千百万盐都市民的母亲河，数不清的井盐通过这条河被运送到华中、华东一带，可以说它造就了繁荣的自贡。在古代和近代历史上，它担负着盐都井盐外运 80%以上的运输量，曾经较长时期处于“盐舟云集，樯帆如织”的盛期。清朝后期，釜溪河沿河两岸井灶星罗棋布，景象壮观。因此，釜溪河曾被誉为“盐井河”。流域区内农业资源也十分丰富，工业生产

发达。

自贡旅游资源丰富，文物古迹和风景名胜众多，尤以盐业遗址、恐龙化石、灯会著称于世。自贡盐业历史博物馆收藏有盐业历史文物1 300多件，被联合国教科文组织列为中国七大具有代表性的专业博物馆之一。自贡恐龙博物馆——被誉为恐龙群窟、世界奇观的“东方龙宫”——是我国唯一建筑在化石埋藏现场的博物馆，是世界三大恐龙博物馆之一，其化石具有较高的观赏价值和科研价值。自贡灯会历史悠久，融传统的制灯工艺与现代科学技术为一体，在国内外拥有较高声誉。除此之外，自贡的很多水景观也颇引人注目。双溪湖位于历史悠久的川南名城荣县城北1公里处，距自贡40公里，与闻名全国的荣县大佛隔城相望。双溪湖谷区分东川沟和洛阴溪两大沟汊，山高谷险，曲水蜿蜒，素有“小三峡”之称。自贡市沿滩区仙市镇则是自贡的另一个亮点，这座曾是自贡井盐出川必经之地的千年古镇，是釜溪河当年的重要码头之一，被誉为古盐道上的明珠。

自贡历来是地灵人杰的地方，特别在中国近代史上更是优秀人物辈出，有清末力主变法维新的“六君子”之一的刘光第，有中国无产阶级革命家、教育家吴玉章，还有同彭德怀元帅一起领导平江起义、后任红五军军长等职的邓萍，有参加秋收起义、并担任前线总指挥的卢德铭和小说《红岩》中江姐的原型女英雄江竹筠等一代精英。自贡文化事业也较发达，具有悠久的历史和浓郁的地方特色，川剧、杂技两朵奇葩呈放异彩，多次赴泰国、日本、美国等国家和地区演出，并广获好评。

昔日的釜溪河，因河道坡度陡峻，河床狭窄，险滩密布，航运能力极低。运输过滩时，必须“提载”，堵水后再放行，由此经常导致船毁人亡的悲剧。为了适应自贡盐业的发展，河道上逐渐开始修筑堰闸行船。抗日战争爆发后，自贡井盐奉命增产，盐巴外运量增大，于是在金水凼、沿滩、邓井关筑“离堆”、“庸公”等船闸，雄伟而实用，从此化险为夷，河运通畅。

65. 贵阳
真山真水山水秀

贵阳市位于我国西南云贵高原东部，是贵州省省会，也是全省政治、经济和文化中心。它地处山地丘陵之间，故有“山国之都”的雅誉，而且市内自然景观、文化古迹、民族风情众多，因此又有“公园省”的“盆景市”之美称。

贵阳历史悠久。春秋时期，贵阳属柯国，战国时属夜郎国。宋代称贵阳为贵州，元代始建城，明代改称贵阳。1913 年，贵阳被定为贵州省省会。1941 年贵阳正式设市。古语曰“山北为阴，山南为阳”，贵阳因城区位于境内贵山之南而得名，该名沿用至今，已有 400 多年历史。同时，古代贵阳盛产竹子，以制作乐器筑而闻名，故简称“筑”。

贵阳河湖众多，主要河流有长江水系的乌江、南明河、猫跳河、鸭池河、暗流河、鱼梁河等以及珠江水系的蒙江。人工湖泊主要有红枫湖、百花湖、阿哈水库、花溪水库等。其中南明河是贵阳市的最大河流，它发源于贵州省平坝县，是长江流域乌江水系清水河的源头。南明河在进入贵阳市区后又分别接纳了陈亮河、麻堤河、小车河、市西河、贯城河等支流。南明河穿城而过，赋予主城秀美和灵性。

南明河是贵阳的母亲河，远古就有人类活动，是贵阳文明的发端。如今的南明河是贵阳工业、农田灌溉、生活用水的重要水源，是这座城市赖以生存赖以发展的血脉之一。贵阳人的生活与南明河息息相关，他们在河中游泳嬉戏、垂钓捕鱼、淘米浣衣。河的两岸风光旖旎，人文荟萃，是天然的游览

胜地。

南明河上最具盛名的建筑物当属“甲秀楼”。此楼是明朝贵州巡抚江东之所建，目的在于“望贵州科甲挺秀，人文秀甲天下”。楼建成后，许多文人骚客纷纷到此登临望远，留下墨迹无数。贵阳另一处有名的景致是花溪，它位于贵阳市西南17公里处。花溪原名花仡佬，是一个汉、苗、布依、仡佬等民族杂居的地方，仡佬族妇女喜欢美丽花哨的服饰，于是就以他们民族的名字命名了这条河流。南明河流入贵阳，其龙山峡至济番桥一段，称花溪河。沿溪两岸，秀峰林立，溪中礁石累累，水浅处可以涉足，水深处可以泛舟，山水交融，风光无限。

贵阳是个人杰地灵的地方，在这里很多名人或被吸引留下诸多诗篇，或被养育留下很多事迹，还有的是被囚禁在这里，比如著名爱国将领张学良、杨虎城曾被囚禁于黔灵山麒麟洞旁的“水月庵”中。周总理与邓颖超曾泛舟花溪，并赞美“贵州山川秀丽，气候宜人”。陈毅元帅游过花溪后，曾留下“真山真水到处是，花溪布局更天然。十里河滩明如镜，几步花圃几农田”的诗句。古代大儒王阳明，生于浙江，成道于贵州。他写成了《五经臆说》，以其极富反叛精神的“异端曲说”向程朱理学发起猛烈攻击，其还在贵阳建了龙冈书院，为贵阳的教育作出了贡献。

贵阳能源资源充足。境内有大小河流98条，其干、支流落差大，水利资源丰富，拥有多座不同级的水电站，是全国十大水电基地之一。修文县境内的六广河，是乌江干流鸭池河的一段，建有东风、乌江渡2座大型水电站。乌江南岸支流猫跳河，沿河建有6座梯级电站。随着水利水电事业的发展，此地还形成了一批高原人工湖，境内有全省最大的乌江渡、红枫湖、百花湖等大型水库，还有阿哈、松柏山、花溪、岩鹰山等中型水库以及众多的小型水库。

66. 遵义

丹霞之冠千瀑布

遵义古称播州，清雍正年间划归贵州，改置遵义府。1997 年撤销遵义地区，设立地级遵义市。遵义之名始于唐贞观十六年（公元 642 年），取意于《尚书》："无偏无陂，遵王之义。"现在的遵义市位于贵州省北部，是大西南地区通江达海的重要通道，是国家规划的长江中上游综合开发和黔中产业带建设的主要区域。遵义是中国名酒、名茶之乡，国酒茅台即产于该市茅台镇，遵义毛峰已居于中国名茶之列。全市总面积 3 万多平方公里，人口 730 多万。

遵义境内长 10 公里以上的河流共 460 余条，有大河流 4 条，中等河流 17 条。这些河流都属于长江流域，而以大娄山脉为界，北为长江上游干流水系，南属乌江水系。长江上游干流区包括赤水河、牛渡河、习水河以及綦江河的两条小支流——松坎河和羊磴河。乌江水系包括湘江河、偏岩河、余庆河、六池河、洪渡河、芙蓉江等河流。其中湘江是遵义市地表水的主要积聚地，在遵义县的三星场汇入乌江。

遵义的自然资源十分丰富，是贵州最早开发的地区之一。遵义是贵州主要的农产品基地，被誉为"黔北粮仓"，它还是全国四大优质烟区之一。现在，遵义成为西部大开发"西电东送"工程的重要能源基地，因为境内水能资源丰富，全市规划水电装机容量 500 万千瓦。遵义已初步形成以能源为基础，机械、冶金、化工等为主的工业框架。

但是，遵义市现在的水利发展仍存在很多问题。例如，这里水资源总量虽然较为丰富，但由于地形地貌复杂，季节性差异大，水利化程度较低等原因，使得其水资源利用

困难，造成水资源短缺，影响了大量耕地面积的灌溉。还有洪涝灾害的频繁发生、日趋严重的水污染和干旱、严重的水土流失，让这个本就属于中度缺水的地区水资源更加紧缺。

遵义的旅游资源也很丰富，包括自然景观和人文景观。遵义是中国革命圣地，有着得天独厚的红色长征文化。这里有名扬中外的遵义会议会址。1935年1月，中央红军长征到达遵义，并举行了政治局扩大会议，即著名的遵义会议。这次会议确立了毛泽东的领导地位，为中国革命打开了新局面，成为中国革命历史的重要转折点。在会址大门正中的巨匾上，有毛泽东亲手题写的“遵义会议会址”六个大字，苍劲有力，大气磅礴。在自然景观中，比较著名的有赤水十丈洞瀑布和余庆大乌江风景名胜区。

被誉为“神州又一瀑布奇观”的赤水十丈洞瀑布群位于遵义赤水县，景区内的自然景观以瀑布群、竹海、丹霞地貌等为主体，为遵义赢得“千瀑之市”、“丹霞之冠”的美誉。尤其是在河下游的十丈洞瀑布和中洞瀑布，气势磅礴，落差将近200米。这里还保存有大面积的常绿叶带和多种珍稀动物，特别是有一种被誉为“活化石”的冰川前期植物——桫椤树，异常罕见而珍贵。

大乌江风景名胜区在遵义市余庆县中部，自然生态环境很好，以乌江为主体，又分成若干个景点，其中大乌江老虎口险滩和马尾瀑布等两个自然奇景最让人惊羡。另外这里还有他山摩崖与万丈坑红军烈士墓等两个独立景点，著名的红军强渡乌江的战斗遗址也在这里。

在遵义文化中，除了“红色文化”，最引人注目的要数“国酒文化”。国酒“茅台”产地茅台镇濒临赤水，好水酿出佳酒，早在盛唐时期，这儿就已经用取自赤水河的水酿造出浓香特醇的白酒了。现在，茅台酒已经与英国的威士忌、法国的白兰地并称为世界三大著名蒸馏酒。如今，进出茅台镇的大门被称为“国酒门”，镇上还有世界上最大的酒文化博物馆“国酒文化博物馆”。著名的“四渡赤水”渡口就在该镇。

随着西部大开发和“西电东送”工程的实施，遵义掀起了水电工程建设的热潮。遵义市也一直强调发展水电能源的重要性，除了已建成的乌江渡电站外，在“十一五”规划中，还要计划建成“构皮滩水电站”，并加速芙蓉江、洪渡河、赤水河等流域梯级开发，建成一批中小水电站群。

67. 昆明
高原湖泊养春城

昆明是云南省省会，中国历史文化名城，著名旅游风景区，面积2.1万平方公里，总人口约500万，少数民族有26个，少数民族人口约70万，占总人口的14%。

昆明鲜花常年不谢，草木四季长青，故有“春城”美誉。关于“昆明”一词的起源，有多种说法。大多数学者认为，“昆明”最初是我国西南地区一个古代民族的族称。“昆明”在中国古代文献中写作“昆”、“昆弥”或“昆淋”。“昆明”作为地名出现是在唐代。“昆明”一词可解释为“人口众多的昆明族”。

昆明区内没有大江大河过境，仅靠大气环流降水汇集成水库和天然湖泊。滇池是昆明城市水源的主要来源。

滇池，位于昆明城西南，又名昆明湖，是云南省面积最大的高原湖泊和全国第六大淡水湖，现为国家级旅游度假区。滇池因周围居住着“滇”部落或有水似倒流，符合“滇者，颠也”之说，故曰“滇池”。滇池为地震断层陷落型湖泊，其外形似一弯新月。滇池水由海口注入普渡河，汇入金沙江，属长江水系，是一颗璀璨的高原明珠。

昆明，是一座与水有着不解之缘的城市。千百年来，昆明人与水的爱怨交织演绎着这座城市的历史。

昆明因水而生。据历史记载，公元3世纪，楚将庄蹻入滇，在滇池沿岸“始筑兰城居之”，这就是最早的昆明城。自古以来，滇池哺育了昆明。

昆明因水而苦。昆明城市发展的历史就是不断寻水的历史。从元代赛典赤修松华坝开始，治滇者必先治水。“赛典赤

治水”留下了“心滇之心，事滇之事”的美名。

如今，昆明市根据水资源现状，提出了“多元取水，长短结合，分质供水，优水优用，节约用水，政策调控”的治水原则，先后实施了一批城市水资源建设工程。1996 年，被市民称为“民心工程”的“2258”工程即是其中一例。

作为中国历史文化名城、著名旅游风景区，春城无处不是好风景。翠湖公园，是城中的一泓秀水，一方绿洲，由海心亭、水月轩、观鱼楼等水榭亭台及大片湖水组成。因湖东北曾有 9 个山水泉眼，又名“九龙池”。两岸长堤，分湖为四，水光潋滟，垂柳荷花相映，给人以清新秀丽、恬静幽雅之感，又有“翠湖”的雅称。黑龙潭，是昆明道教建筑群中保存最完整的地方，虽历史久远，仍有着一种永不消褪的庄重感。大叠水瀑布，又名飞龙瀑，位于大小石林西南面，向世人展示着“瀑布飞泉几万重，喷云吐雾豁心胸”的辽阔和壮美。

一方水土养一方人，昆明人勤劳、好客的性格和崇尚美与自然的天性，也许正是昆明的水历经时代的积淀所陶冶而成的。

68. 大理
苍山洱海环左城

大理地处滇西中部，市境东巡洱海，西及点苍山脉，总面积约 1 450 平方公里，人口约 45 万。大理是一个以白族为主的少数民族聚居市，白族约占总人口的 65％，另有汉、回、彝、傈僳、藏、苗等民族。这里气候温和，土地肥沃，山水风光秀丽多姿，是我国西南边疆开发较早的地区之一。

远在 4 000 多年前，大理地区就有原始先民的活动。在漫长的历史岁月中，大理曾占据着显赫的地位并发挥着边塞要冲的作用。秦、汉之际，大理已是从四川成都进入缅甸，再通往印度的必经之地。它的开通，对促进大理地区和内地的联系、促进中国和东南亚诸国友好往来和经济文化交流起着重要的作用。

大理水系纵横，主要河流属于金沙江、澜沧江、怒江、红河(元江)四大水系，境内共有大小河流 160 多条，呈羽状遍布全州。州境内分布有洱海、天池、茈碧湖、西湖、东湖、剑湖、海西海、青海湖 8 个湖泊。洱海位于大理市境东部，是云南省第二大内陆淡水湖泊，古称“昆明池”、“洱河”、“叶榆泽”等，因其状似人耳，故名洱海。其面积与蓄水量在云南湖泊中均列第二，在全国淡水湖中居第七位。洱海风光明媚，素有“高原明珠”之称。

如此发达的水系给大理的城市发展带来了契机。洱海航运在古代便很

兴盛，新近建成的大理港下关码头、桃源码头及13个小型港口，更完善了大理的水运设施。至2004年，大理开通内河航运航线4条，里程计153公里；水运货运量8.99万吨，水运客运量72.23万人。

大理人文底蕴深厚，历史文化古迹众多，在大理古城及周围分布甚广，它们以古城为中心，沿苍山之麓、洱海之滨呈线状分布。明洪武十五年（公元1382年）修建并完整保留至今的大理古城，濒山近水，环境优美，古朴典雅，生意盎然，是当地历史文化的集中体现。站在古城门楼上远望，西可见海拔4 000余米、山顶白雪皑皑的苍山，东可眺碧波万顷的洱海，因此大理曾被誉为“东方日内瓦”。大理的魅力更在于它的民俗文化，大理文化是中原文化、藏传文化、东南亚文化及当地民族文化融合的产物。当地白族人民在服饰、住居、婚嫁、信仰、习俗以及庆典节日等方面，都充满着独特的民族情趣、浓郁的民族风情，增添了大理的迷人韵味。

大理人杰地灵，史上名人辈出，如有誓死抗袁的清末将领杨春魁，有杰出的共产党领导人、被称为“白子将军”的周保中以及众多的军事革命界的精英。

大理，以其独特的民族风情吸引着世人，这片南疆神秘的土地，散发着迷人的气息。如今在发展旅游经济的同时，大理也正积极发展着自身的优势产业。交通硬件的进一步落实、各项措施的完善将会带给大理一个更加美好的明天。

69. 建水
滇南古井博物馆

古有“滇南邹鲁”之誉的建水市位于南部红河北岸，是一座滇南边地文化与中原汉文化紧密结合的城市。至今，建水人依然以市内的井水为饮用水，建水的古井是滇南人民的一大骄傲，建水市被称作我国的“古井博物馆”。建水市占地面积约3 789 平方公里，居住着汉、彝、回、哈尼、傣、苗等民族。

建水古称“步头”，亦称巴甸，唐南诏时筑惠历城，汉语译为“建水”，沿用至今。步头，即指埠或码头，意为“水为码头”。“巴甸”则为彝语，“巴”为旱地，“甸”为水，意为被水环绕的一块旱地。建水一开始就和水有着千丝万缕的联系。

建水水资源非常丰富，境内河流分属南盘江和红河水系。南盘江为珠江支流西江的上源，流经建水境内长达 36 公里。红河发源于大理白族自治州巍山县，向东南奔流数百公里，成为建水与元阳县之界河。建水地下暗河发育良好，分布着大面积的石灰岩层，由于地下水的溶蚀作用，有 127 处地下岩溶泉出口、12 个龙潭。著名的有泸江河的颜洞和燕子洞伏流。建水的地下水资源，主要分布在建水坝子和曲江坝子。境内有温泉 6 处。

建水是我国历史文化名城之一，是我国滇南唯一一座位列历史文化名城的西南边境城市。在建水市的燕子洞遗址，我们可以看到旧石器时期人们的生活遗址。古老的滇南人在这片红土高原之上沿红河而居，取地下甘泉而饮。至唐代南诏时，筑惠历城，汉语译为“建水”，隶属于通海都督府。

宋大理国时期属秀山郡阿白部。元时设建水州，明代称临安府。清乾隆年间改建水州为建水县。建水的发展与井有着密不可分的联系。据说，当初建水城选址时，就是因掘造出大板井，且水质甘甜、出水量大，才开始造城，所以有了“先有井而后有城”之说。水是建水文化的魂，井是建水水文化的魂。在元代，建水建立了文庙，大开儒学风气，从此，建水人才辈出，明、清开科取士，云南中榜举人，有时临安学士竟占半榜，故有“临半榜”之称，因此得“文献名邦”、“滇南邹鲁”之誉。自元代以来，建水就是滇南政治、军事、经济、文化的中心。

建水的水井，不但数目众多，而且造型独特，五花八门。有人曾用一副对联描述建水的六大名井：“龙井红井诸葛井，醴泉渊泉溥博泉。”民间还有许多井，如大板井有“水味之美，贯甲全滇”之说，被列为建水甜水井之冠，有“滇南第一井”誉称。这些井分布在建水城的各个区域，有的为元代开凿，至今还在使用；有的井以井水的色味独特闻名。历经了千年的沧桑，青石井栏上的绳索印痕已很深，有些甚至已被磨穿。

如今，虽然建水已经通了自来水，但是这里的人们吃喝用水几乎还是从一口口古井里挑出来的，而以卖井水为生的人也不在少数。城市中还有专门的担水道，特地为井边担水的人而设计。因为井，建水成为了一座活在历史与现实交织中的城市。说起建水，还有一个不得不说的地方那就是红河。在焕文山红河景区，有海拔最高的五老峰和海拔最低的红河谷，两地直线距离仅 30 公里，而海拔差达 2 306 米。

横跨泸江、塔冲河交汇之水面的双龙桥是我国传统石拱桥中的珍贵作品。此桥于清乾隆年间始建，在泸江河上建桥 3 孔，后因塔冲河改道至此，又于道光十九年续建 14 孔，与原建 3 孔首尾相接，雁齿蝉联，浑为一体，统称“十七孔桥”。桥的造型雄伟壮观，十分独特。

建水还有奇特的地下岩溶洞景观，地下暗涌是溶洞的灵魂。而小桂湖的水灵秀美，朱家花园的江南园林景色，当然也少不了水的点睛之笔。

如今，建水的古老和美丽正在被越来越多的人发现，世界各国的人们都竞相来此领略古老的中国文化。

70. 丽江
雪山涧溪文化城

云南省丽江市位于青藏高原和云贵高原的交界地区，是“茶马古道”要塞，总面积2万平方公里，全市总人口110多万，辖区内现有纳西、彝、傈僳、白、普米等22个少数民族。丽江境内多山，主要有玉龙雪山和老君山两大山脉。丽江是古纳西王国的心脏，“东巴文化”指的就是纳西族古代文化，因保存于东巴教而得名，东巴文化源远流长，至今已有近千年的历史。

早在10万年前，丽江已有旧石器晚期智人“丽江人”在这里活动。金沙江河谷洞穴岩画的发现和众多的青铜器、铁器、新石器的出土等，证明丽江是中国西南部古人类活动频繁的地区。据史料记述，战国时期丽江属秦国蜀郡，两汉置遂久县，唐代先后归属吐蕃与南诏，宋时臣服大理国。到元初朝廷设丽江宣慰司，丽江之名由此而来。

金沙江、澜沧江，是丽江两大自然水系。“城依水存，水随城在”是丽江大研古城的一大特色。位于城北的黑龙潭为古城主要水源。潭水由北向南蜿蜒而下，至双石桥处被分为东、中、西三条支流，各支流再分为无数细流，入墙绕户，穿场走苑，形成主街傍河、小巷临水、跨水筑楼的景象。水网之上，造型各异的石桥、木桥多达354座，使大研古城的桥梁密度居中国之冠。

丽江丰富的水系，点染了丽江美丽的景致，也为丽江城市的发展带来了极好的契机，发达的水运活跃了丽江的经济。奔腾不息的金沙江流经境内5个乡80多公里。金沙江水能资源的开发利用，将对丽江未来经济和社会发展产生深远的影响。已开工建设的总装机

250 万千瓦的金安桥电站建设项目，预示着金沙江水能开发的广阔前景。黑龙潭不仅哺育了丽江的子民，也为丽江城市的水运带来了极大的便利。

丽江的文化底蕴深厚，有着迷人的城市韵味。有人说，丽江是天庭遗留在人间唯一的一块仙境，那里瑞云缭绕、祥气笼罩，自在的鸟儿在蓝天白云间翱翔，悠然的牛羊在绿草红花中徜徉，愉悦的人们在古桥流水边悠闲，阳光照耀着生命的年轮，雪山涧溪洗涤着灵魂的尘埃。在那里，只有聆听，只有感悟，只有人与自然那种相处的和谐、那种柔情的倾诉、那种深深的依恋。丽江的景点以丽江古城、黑龙潭、東河、木府、世界遗产公园、玉龙雪山、玉龙山寨、香格里拉景区、泸沽河景区最为出名。它们构成了丽江独有的景致，铺垫了丽江的文化风貌。丽江景点中最值得一提的是丽江古城大研镇，它坐落在玉龙雪山下丽江坝中部，北依象山、金虹山，西枕狮子山，东南面临数十里的良田沃野。该镇海拔 2 400 米，是丽江行政公署和丽江纳西族自治县所在地，为国家历史文化名城、世界文化遗产。古城以江南水乡般的美景、别具风貌的布局及建筑风格特色，被誉为“高原姑苏”，是丽江游览的首选之地。

丽江物美人杰，史上涌现出了如“木氏六公”、周之松、牛焘等文学名家，他们的杰出成就反映了当时中原与云南纳西族之间的紧密联系。徐霞客、郭沫若、沈从文等名人也曾与丽江结下了不解之缘。

如今，美丽的丽江以其丰富的旅游资源以及深厚的文化底蕴向世人展示着云南少数民族的风采，它是云南的名片。它因旅游而兴，因胜景而旺。在发展旅游经济的同时，丽江不紧不慢，不骄不躁，保持着它美若仙境的本色。

71. 拉萨

拉萨河畔日光城

拉萨，西藏自治区的首府，也是西藏的政治、经济、文化中心。它位于雅鲁藏布江支流拉萨河北岸，海拔 3 650 米，被称为“世界上海拔最高的城市”。总面积近 3 万平方公里，总人口近 40 万。拉萨全年日照时间约 3 000 小时，故有“日光城”的美誉。夏秋雨季是拉萨最美好舒适的季节，雨水多在夜间降落，形成了“拉萨夜雨”的独特景象。

拉萨前称为“吉雪沃塘”，大昭寺建成后，为纪念山羊驮土建寺的殊举，寺庙取名“山羊幻化庙”，城市也改名为“惹萨”，意为“羊土城”。自从金城公主将小昭寺的释迦牟尼 12 岁等身像移供大昭寺主神殿，这尊佛像很快成为整个雪域藏人信仰的中心，朝拜供奉者络绎不绝。缘于这尊至神至圣的佛像，“惹萨”又改名为“拉萨”，意为“神佛之地”。

拉萨有优越的地理位置、丰富的自然资源和社会条件。首先，拉萨四面环山、一水中流形成天然屏障，正所谓“万岭回环、宛如城郭”；其次，拉萨地处雅鲁藏布江中游，平原广阔，土地肥沃，气候温和，雨水充足，家农家牧，自然资源十分丰富；第三，交通便利，有良好的社会基础。在此基础上，拉萨已发展成为一座传统和现代化相结合的旅游城市，拉萨河两岸的田野和村庄正在发生日新月异的变化，洁白美丽的新村和各种造型美观的藏式新楼不断地从柳林和陵谷中拔地而起。

谈到拉萨的兴盛，就不得不说到它的母亲河——拉萨河。拉萨河，藏语为“吉曲”，意思是“幸福的河流”。发源于

青藏高原念青唐古拉山南麓海拔5 020米的米拉雪山，是世界上最高的河流之一。它又是雅鲁藏布江的五大支流之一，多年平均径流量约为中国第二大河黄河的八分之一，流域面积近5万平方公里，在拉萨市南郊汇入雅鲁藏布江。

拉萨河曾经担负着航运的职能，由于拉萨多季节性河流，受天气和温度的影响比较大，所以风险也比较大。但是拉萨河流量丰富，滋养着沿岸的人们，滋养了拉萨这座宗教圣城。而坐落在拉萨河上的拉萨河铁路桥是青藏铁路全线唯一非标准设计的特大型桥梁，全长928.85米，是青藏铁路的重点标志性工程。该桥的主桥桥墩设计为牦牛腿式变截面双圆柱墩，引桥桥墩设计为雪莲花式变截面圆端形墩，主跨108米，采用双层叠拱结构。这些设计均为国内首次采用，结构新颖，融民族特色与现代风格于一体，成为拉萨市的一个重要人文景观。

拉萨最为人们熟知的是布达拉宫，作为佛教圣地，布达拉宫每年都会接待成千上万来朝圣的信徒，拉萨河也以它宽广的胸怀接纳着四面八方的来客，这也是拉萨被越来越多的人认识并喜欢的原因之一。

西藏历史上有很多的名人，松赞干布、文成公主、尺尊公主、禄东赞、吞米·桑布扎等。尺尊公主是尼泊尔人，她是先于文成公主嫁给松赞干布为妃的。尺尊、文成两位公主为吐蕃带来了神圣的佛像和佛经，还在拉萨主持建造了著名的大昭寺和小昭寺。吞米·桑布扎是松赞干布的大臣，相传是他创制了藏文，以后人们才有可能把印度的佛经介绍到西藏来。在大昭寺和布达拉宫内，也有这几位非凡人物的塑像，这种人神合一的做法，是喇嘛教信仰的一大特色。

美丽的拉萨城是一片圣地，因为这里天湛蓝、云白净、水清澈、山巍峨、人热情，是理想的旅游胜地。这里空气清新，冬暖夏凉，也是个很好的避暑休闲的地方。

72. 日喀则 高原百河育粮仓

日喀则，藏语称“喜噶次”，意为“如意庄园”，是一座古老而美丽的高原之城，海拔高达3 800多米，为中国之最。历史上，日喀则是后藏的首府和政教中心，也是历代班禅的驻锡之地。目前，日喀则是西藏的第二大城市，其繁华程度不亚于拉萨。由于位于雅鲁藏布江及其支流年楚河汇合处的河谷中，这里光照充足，土地肥沃，农业发达，是“西藏的粮仓”之一。

日喀则建城距今已有600多年历史。历史上该地称“年麦”，藏语意为“年楚河下游”。据说帕木竹巴王朝时，有一位官员到此地征税，看见这儿水美草肥，牛羊肥壮，于是回朝禀报，建立溪卡桑珠孜，简称“溪卡孜”，汉语译音为“日喀则”。公元1447年，一世达赖根敦朱巴在日喀则兴建扎什伦布寺，日喀则因寺而逐渐兴盛，遂成为后藏地区的政治、经济、文化和宗教的中心。

日喀则境内有100余条大小河流，主要分为三大水系：北部的内流河水系、中部的雅鲁藏布江水系和南部的朋曲水系。雅鲁藏布江为西藏第一大河，在日喀则境内接纳年楚河、湘曲河等汇入，其中年楚河是雅鲁藏布江中段的主要支流之一。境内其他主要河流还有仲曲河、多雄藏布河、朋曲河、绒辖河、波曲河等。除少数内流河外，日喀则境内的河流都属于印度洋水系。日喀则境内还有大小湖泊40多个，大多分布于西部的仲巴县、昂仁县境内。其中面积大于200平方公里的有4个，分别是塔若湖、佩枯湖、扎布耶茶卡、许如湖。

自古以来，日喀则的经济就以农业和畜牧业为主。现在的日喀则更是西藏重要的商品粮基地和畜牧产品基地，近年来其粮食总产量和牲畜总头数在西藏一直占据首位。肥沃的耕地大多在雅鲁藏布江、年楚河、朋曲河沿岸的河谷地带。有些湖泊

沿岸的狭窄地带，也是农牧业较发达的地区。

这里还蕴藏有丰富的水能、太阳能等自然能源，尤其是水能，仅雅鲁藏布江和年楚河就能为日喀则提供非常丰富的水能资源。可以说，从城市的产生到发展壮大，日喀则境内丰富、优质的水资源居功至伟。

但是，日喀则也存在日趋严重的水土流失、土地荒漠化等问题。固态水源、地表水源和地下水源正日益减少，湖泊水位和地下水位不断下降。加之大面积的森林被砍伐，植被稀疏低矮，其蓄水保土、涵养水源等功能都大大降低了。

日喀则地区山峰林立，河湖众多，素有“千山之宝，万水之源”的美誉。被誉为“世界第三极”的世界最高峰——珠穆朗玛峰即位于该市境内。雅鲁藏布江自西至东纵贯日喀则中部，沿江有高山与草场，大小湖泊、喷泉、温泉、冰山、冰川以及熔岩、溶洞等散布其间，多姿多彩，变幻莫测。

日喀则不仅以其壮丽的自然景观，还以古老的藏族文化和雄伟的寺庙建筑深深地吸引着世界各地的游客。著名的扎什伦布寺是历代班禅的驻锡地，日喀则附近还有白居寺、夏鲁寺、绒布寺等各具特色的寺庙。帕拉庄园则是西藏仅有的一个保存完整的贵族庄园。近年盛行的日喀则珠峰文化节是浓郁的藏族民俗、民间文化的集中体现。

“十五”期间，日喀则已经建设完成满拉水利枢纽、江当灌区、南木林艾玛岗灌区等重点水利工程，形成了比较完备的灌溉体系。但其社会经济发展依然受到电力匮乏的制约。在“十一五”规划中的拉洛枢纽及拉洛灌区工程是一个大型的地区水利建设项目，总投资 28 亿元左右，枢纽包括挡水坝、电站、灌溉区等。工程建成后，将解决日喀则部分地区约 44 万亩农田的灌溉问题，同时还可为枢纽附近地区输送强大电力能源，能较大程度地改善当地居民生产生活条件。

73. 江孜
年楚河边藏毯乡

位于年楚河中游平原的西藏江孜，是日喀则地区辖县，素有“藏毯之乡”之称。年楚河是西藏地区最大河流——雅鲁藏布江中游最大的支流，在海拔 4 000 米以上的青藏高原上。江孜占地面积约 3 720 平方公里，人口约 6 万。江孜的地理位置十分重要，和拉萨、日喀则三足鼎立，是通往亚东、印度大吉岭的交通枢纽。

江孜，藏语意为“胜利顶峰、法王府顶”，是一座历史悠久、名胜集中的历史名城。吐蕃王朝灭亡后，群雄割据，江孜一带为法王白阔赞盘踞。江孜原来称为“杰卡尔孜”，简称“杰孜”，逐渐变音为“江孜”。因年楚河流经这里，历史上人们又称江孜地区为“年”。世世代代的江孜人民在年楚河畔生活，积淀了深厚的历史和文化。

西藏自治区素有亚洲“江河源”、“生态源”之称，水资源丰富。江孜县是西藏地区水资源较丰富的地区之一。境内的年楚河在江孜以南河段为花岗岩陡岸，河谷狭窄；江孜以北河段贯穿冲积平原，河谷宽广，地势平坦，水流缓慢，沙砾河底。不仅形成了丰富的水利资源，更为江孜一带的农业发展创造了优越的条件，主要农作物有青稞、小麦、豌豆、油菜籽。江孜自古以来就是“后藏粮仓”。

在历史上，藏族人民沿河居住，发展农业，形成了许多有名的都城。江孜是古代苏毗部落的都城，建城已有 600 年。松赞干布的父亲囊日松赞降服了苏毗，江孜便成为贵族的封地。元朝时，江孜修建了白居寺，各方信徒云

集，因又位于交通要冲，工商业繁荣，遂形成西藏历史上的第三大城镇。由于地理位置优越，气候适宜，江孜一直是藏族人民生活的乐园。近代鸦片战争爆发后，江孜一带成为英国的殖民地。江孜人民在抵抗外辱的历史上写下了光辉的一页，并在江孜县中心的宗山山顶上留下了一座“英雄城”。电影《红河谷》真实地记录了这一段历史。如今，藏地成为无数人向往的圣土，不少人来这片土地上寻修本源，大大推动了江孜当地旅游业和服务业的发展。享有“藏毯之乡”美誉的江孜，手工业也十分发达。有名的藏毯——卡垫，以工艺精湛、结构紧密、图案美丽、色彩鲜艳著称。

在江孜有一座“流水漩涡处的塔”，藏语称这座塔为“班廓曲颠”，这“流水”便是年楚河；这“塔”又称作菩提塔，是白居寺的标志性建筑，是由近百间佛堂依次重叠建起的塔，人称“塔中有塔”。塔内有佛堂、佛龛，壁画上的佛像总计有十万尊，因而又得名“十万佛塔”。到西藏探索的旅行者，都会去看看白居寺和寺里的这座“流水漩涡处的塔”。

年楚河流域也分布着江孜的许多贵族庄园。在江孜城南4公里的班觉伦布村，保存着西藏唯一完整的封建领主庄园——帕拉庄园，为人们认识旧西藏的封建农奴制提供了宝贵的素材。帕拉家族是旧西藏有名的贵族世家，家族中曾有5人担任过西藏地方政府的噶伦。

在江孜，最具有特色的节日就是达玛节。达玛节已有500多年的历史。据说在萨迎王朝时期，江孜法王帕巴桑布在群众中享有很高威望。帕巴桑布死后，他的弟子每年做祭把以表纪念，一直沿袭至今。在达玛节上，有法王为其念经祭把，并进行娱乐活动，内容主要有展佛、跳神等宗教活动，角力、负重、骑射、藏戏、歌舞等娱乐活动。

古老的年楚河依旧静静地流过这里，带着远古就存在的冰山的雪水，流向朝气蓬勃的雅鲁藏布江大地。

74. 西安
再现八水绕长安

西安古称长安，最早源自周文王在今长安县沣水中游西岸营建丰京和周武王在沣水东岸营建镐京，有 3 100 多年的建城史、1 120 多年的建都史。它位于八百里秦川中央，四塞险固，沃野千里，物产丰富，气候宜人，是中国古代文明发祥地之一和政治中心，先后有周、秦、汉、唐等 13 个朝代在此建都，拥有光辉灿烂的文化。

“山河四塞，形胜甲天下”的西安，古时人们称之为“居天下之中”。由渭河及其支流冲积而成的关中平原是西安的中心，中国自然地理和气候的分界线秦岭，如屏障般屹立在西安的南部边境。“重峦俯渭水，碧嶂插遥天。”河流与高山不仅是西安这座城市的自然地貌，更把它们的灵性注入到了西安人的性情之中。司马相如在他的《子虚赋》中写道：“八川分流，相背异态。”此八川即泾、渭、灞、浐、沣、滈、潏、涝 8 条河流。“晚来清渭上，一似楚江边”、“鱼网依沙岸，人家傍水田”，写尽“八水绕长安”的昔日美景。八水之中，渭河汇入黄河，而其他“七水”原本各自直接汇入渭河。然而由于时代变迁，浐河成为灞河的支流，灞河成为滈河的支流，潏河与沣河交汇。功能多元化的水系不仅成就了周秦汉唐的盛世，也使得西安能够成为十三朝的古都。

渭河可以称得上是西安的母亲河，其发源于甘肃省渭源县鸟鼠山，入陕以后，经宝鸡、扶郿等地，东流过西安北郊，又经渭南等地到潼关入黄河，是横贯关中平原的第一大河，沿岸有许多古代文化遗

址。有关渭河的故事，远在周代就有流传，传说周文王得师和娶妻都涉及渭水。西汉时期，人们引渭穿渠，以通漕运，灌溉农田。渭河在古代水上交通运输中，也起过重要作用。

泾水发源于宁夏泾源县，至高陵注入渭河。凿泾灌溉是古代关中平原最早的大规模水利工程。战国时建造了历史上有名的郑国渠，西汉时又穿渠引泾，促进了渭北平原农业生产的发展。汉《白渠谣》中说："泾水一石，其泥数斗，且溉且粪，长我禾黍。"

"八水"的变迁也正是西安城市历史的缩影。依现代游客的眼光来看，到陕西而不到西安，简直不可想像。西安处处充满历史和文化，脚下不起眼的一块砖、一片陶，也许就是千年前的文化遗存。这里有全世界保存最完整的古城墙、总面积达 108 平方公里的周秦汉唐四大遗址、"世界第八大奇迹"秦始皇陵兵马俑等珍贵的文化遗产，有半坡母系氏族村落遗址、钟楼、骊山烽火台、鸿门宴故址、咸阳古渡等古迹。西安还是著名的"丝绸之路"的起点。公元前 139 年，汉武帝派遣张骞出使西域，正式开辟了联结欧亚大陆的通道"丝绸之路"。从此，中国的使臣、商贾和中亚、西亚、南亚各国的使节客商往来络绎不绝，中外商业贸易迅速发展，文化交流日趋活跃，友好往来不断深入。

曾几何时，"八水绕长安"已成为西安人尘封的记忆。于是，在和谐发展的新世纪，在加快人文化和生态化的进程中，一场大水大绿工程、再造美丽生态新西安的宏伟蓝图拉开了序幕。第一座橡胶坝蓄水运行，陕西第一个南水北调工程——"引乾济石"工程胜利竣工，皂河城市段治理全线贯通，漕运明渠、团结水库、南湖、幸福渠等一批重点治理工程相继完成建设，节水型社会建设全面启动……

"大水大绿工程"正再现着"八水绕长安"的盛景，西安将成为陕西大地上的一片美丽而古老的绿洲。

75. 汉中

汉江浇灌小江南

我国历史文化名城陕西省汉中市是汉文化的发祥地，拥有人口372万，占地约2.7万平方公里。汉中市地处汉中盆地，在秦岭之南，巴山以北，长江最大的支流——汉江流过境内。汉中市常年雨量充沛，气候温和，富产水稻、油菜、茶叶，素有“西北小江南”之称。

据文献记载：“郡临汉水之阳，南面汉山，故名汉中。”早在商朝时期，这里就有了人类生息劳作的身影。自公元前312年秦惠文王首置汉中郡，迄今已有2 300多年的历史。公元前206年，汉王刘邦以汉中为发祥地，筑坛拜韩信为大将，明修栈道，暗渡陈仓，逐鹿中原，平定三秦，统一天下，建立了汉王朝，自此，汉朝、汉人、汉族、汉语、汉文化等称谓就一脉相承至今。

汉江和嘉陵江是穿越汉中的两大水系，沮水、褒河、斜水、西水、漾家河、濂水河、冷水河、牧马河等一干河流则分别汇入这两大水系，构成了汉中水网纵横的基本格局。古代汉中地区年降水量分布不均匀，经常发生洪涝灾害，于是先人在汉中修筑了不少河渠，使它成为我国著名的水利灌溉区。这些水渠不仅使汉中的农业得以发展，也丰富了汉中的水系。

汉中两汉和三国文化底蕴十分深厚。由于汉江流域丰富的水资源以及秦巴两山的屏护，这一带物产丰富，是重要的粮食供应地。水运是古代最重

要的运输方式，汉江是这一带重要的水道，因此汉中的战略地位自古就十分重要。汉高祖刘邦正是在此地发家，在汉中开创汉业。三国时期，汉中是魏、蜀两国兵戎相见的主战场，老将黄忠在汉中定军山下刀劈夏侯渊，骁将赵云汉水之滨大败曹军，刘备自立为汉中王。唐宋时期，汉中成了茶、马交易的重要场所，西北少数民族用马匹换取汉中茶叶。至北宋，宋江起义后期在汉中屯兵。南宋时期，汉中是重要的抗金战场。太平天国时期，扶王陈得才、端王蓝成春、遵王赖文光、启王梁成富、主将马融和率军由安康入汉中，攻下汉中，取得了战略上的优势。抗战时期，西北联合大学设在这里。虽然历史上一直是沙场，汉中却并没有因战争而衰落。

曹操曾两次到汉中，第二次虽大败于蜀军，但是却与名士杨修演绎了一场以"鸡肋"为谜底的故事，并在褒谷口触景生情，写下"衮雪"两个大字，命人刻于石上。据说当时有人提醒他说，衮字缺水三点。曹操抚掌大笑："一河流水，岂缺水乎？"

诸葛亮在汉中一住就是八年，他写好《前出师表》后就从成都启程来到汉中，一年之后，又在汉中写下了千古名句"鞠躬尽瘁，死而后已"(《后出师表》)，最后尸骨也留在了汉中。

通使西域的张骞和发明造纸术的蔡伦都是汉中人。留侯张良虽然不是汉中人，但退隐之后也来到秦岭南麓的汉中紫柏山辟谷修行，一代贤士风度在汉江之滨千古流传。李白、杜甫、陆游、苏轼等伟大诗人也曾探访、辗转或生活在这片土地上，并留下了瑰丽的墨迹诗章。

"西北小江南"的气候，造就了美丽的自然景观。洋县的朱鹮自然保护区生活着世界珍稀物种朱鹮。勉县温泉"冬夏汤汤，望之则白气浩然，言能度百病"。五龙洞国家森林公园内流水潺潺，树木苍翠欲滴，以雄、奇、幽、秀甲于一方。天台森林公园内山势险峻、沟谷纵横、泉潭密布、气象变化莫测，有天然溶洞和第四纪冰川遗迹。还有南湖公园、兴元湖公园，由原来的水库改造而成，成为集旅游、灌溉和养殖为一体的湖区。

如今，汉中市正以汉江为"一江两岸"建设的主轴，积极推进城市现代化建设。作为长江"南水北调"的水源，汉中市正积极治理汉江，努力为长江提供一个干净的活水源。

76. 咸阳

分明泾渭会古都

咸阳，建城已有 2 350 多年历史，是中华文明的发祥地之一，曾经是中国第一个封建王朝——秦的都城和 13 个朝代的京畿重地。境内有帝王陵 27 座和 400 多余座皇亲国戚王公大臣的陪葬墓，绵延百里，所以咸阳素以"秦汉古都，文物宝库"闻名于世。又因为在秦始皇之前，还没有人能同时获得"皇"与"帝"这两个尊号的殊荣，所以咸阳还有"中华第一帝都"的美称。另外咸阳还是古代"丝绸之路"的出关第一站，古人西出长安，大都在这里话别。

咸阳位于关中平原中部，泾、渭二水交汇处附近，是闻名全国的"八百里秦川"腹地。据《元和郡县志》的说法：山南水北称阳，而咸阳位于宗山之南、渭水之北，山水俱阳，故名咸阳。历史上，咸阳还有过渭城、赤县等称谓。

咸阳的水资源很丰富，渭河横穿南界，泾水纵贯其中，两大水系成羽状覆盖。而秦代修建的郑国渠，灌溉四方，使得秦沃野千里，国力大增，并恩泽后世。

咸阳境内的河流属于黄河流域渭河水系，境内主要河流有 9 条：渭河、泾河、沣河、漆水河、清峪河、三水河、黑河、泔河、冶峪河。渭河是黄河中段最大的支流，其干流从南缘流过，在咸阳市境内汇入的主要支流有漆水河、新河、沣河、泾河、石川河等，其中泾河最大，是渭河一级支流，因此又形成了泾河、渭河两大水系。流域面积 100 平方公里以上的河流约有 26 条，10 平方公里以上的河流、河道约有 150 多条。

咸阳获益于丰富的水资源，成为我国

农业文明的发源地。自周朝起，就开始稻田灌溉，以农业为经济基础。此后朝代各项水利建设持续不断，西汉开白公渠、成国渠、樊惠渠，隋唐以后，清、浊、冶、漆等诸河水利相继开发，明清时代，小型水利工程和打井灌溉兴起。据学者考证推断，秦时渭河两岸林木非常茂盛。现在的咸阳农业生产也十分发达，仍是陕西重要的粮、油、果、菜、畜禽产地，也是西北唯一一个国家大型商品粮基地。

咸阳作为我国的“文物宝库”，文物资源是其特色旅游资源的主要内容。咸阳的文物有三大特征：一是数量大，种类多，等级高；二是帝陵多，等级高；三是古遗址、古建筑较多，内涵丰富，而且保存完整。此外，咸阳还有很多革命文物，例如：辛亥革命时的陕西靖国军总司令部旧址，大革命时期的渭北农民协会旧址，解放战争时期的西府战役、扶郿战役、爷台山战役、毕原血战旧址等。除了这些具有重要历史文化价值的旅游胜地外，新建成的咸阳湖，也已经成为八百里秦川的又一大景观。

咸阳的郑国渠，与四川的都江堰、广西的灵渠一起被史学家誉为“秦代三大水利工程”。公元前237年，秦用韩国水工郑国设计和主持施工，遣数万之功，建成了大型水利工程郑国渠，关中自此变为沃野良田。本是韩国为“疲秦”之计而佯装献策建成的郑国渠，却为“秦建万世之功”。历经朝代更迭，堰口不断被毁坏而上移，至清末年久失修，灌溉能力下降至200顷。民国年间，陕西境内大饥荒，死了很多人。这让我国近代水利专家李仪祉先生恻然心痛，下定决心以复兴陕西水利为己任，使郑国渠得以复苏。新中国成立以后，按照边运用、边改善、边发展的原则，又对新老渠系进行了三次规模较大的改善调整与挖潜扩灌，使其有效灌溉面积大大地提高了。

目前，咸阳市正在进行“引石过渭”供水工程建设，即将石头河水库的水通过压力管道，向武功、兴平、咸阳城区输水。工程建成后，将极大地缓解咸阳城区及兴平、武功水资源供需矛盾，改善人居环境和投资环境。

77. 延安
缺水的革命圣地

延安位于陕西省北部，地处黄河中游。“延安”以境内的延水以及取“永久安宁”之意而得名。此名始于隋朝，之前它一直附属于其他州郡，直到隋朝，才开始在延安地区设立延安郡。延安历来就是民族融和、繁盛之地，是陕北地区的政治、经济、文化和军事中心。

延安河流属黄河水系，以洛河、延河、清涧河、仕望河及汾川河等5条河流为主干，并与周围山地纵横交错的大小河沟一起形成密如蛛网的水系网。延河是延安最大的河流，流贯延安城，它有杏子河、平桥川、西川河、南川河、蟠龙川等20多条支流，全市大部分是在延河流域范围内。东南部的汾川河是延安的第二大河，著名的南泥湾就在它的上游。

延安是一个典型的“因水而困”的城市。被誉为延安母亲河的延河已经面临枯竭的危险，河床宽广，堤岸也很高，却只有一股细如羊肠的水在流动。历史上的延安曾是水草丰茂、沃野千里的好地方，但现在却是林草稀疏、水资源短缺、土地贫瘠，是黄河上中游水土流失最严重的地区之一。改革开放以来，延安大搞农田水利建设，植树造林，退垦还草还林，取得了一定成效，但黄河沿岸生态环境的恶化趋势仍在加剧。如今，水资源短缺已经成为制约延安经济发展的最大瓶颈。如何实现生态环境和经济和谐的可持续发展，是摆在延安市政府和人民面前的一大难题。

延安以“两圣两黄”的旅游资源而著称。“两圣”是指延安是中华民族圣

地和中国革命圣地，“两黄”是指其境内的黄河壶口瀑布风景区以及此地的黄土风情文化。

延安历史文化悠久，境内历史遗迹多达 5 808 处，其中古遗址占 2 956 处，而新石器以前的遗址就有 1 259 处，数量居全国各市之首。在延安，老一辈无产阶级革命家留下了一大批宝贵的革命文物、革命纪念地和无价的精神财富——延安精神。境内有革命旧址 150 余处，其中凤凰山、杨家岭、枣园、王家坪及南泥湾等 16 处旧址被列入国家级重点保护对象。

位于延安宜川县的黄河壶口瀑布，是我国第二大瀑布，是黄河流域的一大奇景。金色的黄河水奔腾而来，至宜川一带，被两岸苍山约束在狭窄的石谷中。约 400 米宽的水面突然收缩至 40 米，如同水在一个巨大的壶中沸腾了，气势恢宏，跌落深槽，形成落差达 50 米的壶口大瀑布。黄河壶口瀑布景观还随四季晨昏、晴雨变化而变幻无穷。瀑布与孟门山、黄河大桥等景点组成了黄河中游最具特色、最富魅力的黄河系列自然景观。

黄河壶口瀑布的声音令人振奋。著名诗人光未然带领抗敌演出队来到壶口瀑布时，被这种雄壮的声音所震撼，又恰逢民族危亡之际，因此他百感交集地写下了不朽的名篇《黄河颂》。音乐家冼星海为这首诗谱了曲，即著名的《黄河大合唱》。

目前，延安正在进行两大水利工程建设：“引黄济延”调水工程和南沟门水利枢纽工程。“引黄济延”调水工程建成后，将成为延安市区的第二大水源，还能解决延川县城、永坪的石油工业区、延长县城以及延安姚店工业新区的生产和生活用水。南沟门水库地处延安市黄陵县境内，坝址位于洛河支流——葫芦河下游。南沟门水利枢纽工程建成后，不仅能显著改善下游河道的生态环境，还将使延安辖区南部的黄陵、洛川及周边各县不再为生产和生活用水发愁，更能解决中石油的 100 万吨乙烯工程项目的生产用水问题。

78. 兰州
黄河之上有“金城”

兰州是甘肃省省会，拥有悠久的历史文化，始建于公元前86年。西汉时设立县治，取“金城汤池”之意而称金城。隋初改置兰州总管府，始称兰州。后来虽然州、郡数次易名，但兰州的建置基本固定下来。汉唐以来，兰州作为丝绸之路上的交通要道和商埠重镇，在中西经济文化交流中发挥过重要作用。

黄河穿越整个兰州市，全长152公里，因此兰州被称为“黄河之都”。兰州也是九曲黄河唯一穿城而过的省会城市，黄河使得这座黄土高原上的古城因水而灵动、秀丽、丰腴，超凡脱俗，清冽圣洁。兰州与其他城市不同，它不像别的城市是被江河湖海包围，而是一河清流直注城市的胸怀，令人心旷神怡。近几年，兰州建成了黄河风景线，沿黄河数十公里，丛丛鲜花，处处草坪，以“黄河母亲”、“搏浪”、“平沙落雁”等为代表的大型群雕一座连一座，水车、羊皮筏子增添古老情趣，汽艇、高空索道洋溢现代气息。夏夜，沿河灯景变幻，处处五彩缤纷；音乐喷泉放彩，曲曲曼妙轻悠；山间亭榭灿烂，崖体银光透亮；水上流光溢彩，高空探照灯闪烁。

与江南以及沿海地区相比，像兰州这样绿化、美化、现代化的城市也许并不稀奇，稀罕的是它处在缺雨少水的西部干旱环境。兰州的美景分外珍贵，犹如敦煌鸣沙山深处的月牙泉把人吸引。千百年来，月牙泉水永远旺盛、清澈，实乃上天所赐；而兰州的亮丽，既有着大自然的神来之笔，又凝聚着人们的智慧。五泉公园和白塔公园在南北两山遥相呼应。奇特的是，五泉公园与黄河相隔数里，却古木成群，浓荫蔽日，泉水叮咚，花草遍地；而白塔公园面临黄河，立于河滨，反倒是童山秃岭，满目黄土。因此，兰州人民春

季背冰，夏季担水，栽树种草，培育出了一个草木葱茏、绿树成荫的白塔公园。现在，白塔已成为兰州的“定城神针”。

曾被誉为黄河“天下第一桥”的兰州中山铁桥，历经百年风雨，完成历史重任，如今已光荣退役为旅游观光的一个景点。外地客人必定要以此为背景，摄下这个兰州最具代表性的景观留作纪念。如果说，甘肃的发展得利于古丝绸之路的必经要冲和西北交通的枢纽，那么，兰州便是这个要冲的重镇和枢纽本身。在政治、经济、文化的交流中，传播繁荣的同时积聚富足，集散昌盛的同时繁衍文明。新中国成立不久，兰州便很快成为工业型城市，号称东方的“斯大林格勒”，还享有“皋兰山下科技城”的美誉。兰州还是丝绸之路大旅游的辐射中轴。周边地区北有以刘家峡水电站、炳灵寺石窟为主体的永靖黄河三峡风光；南有夏河拉卜楞寺、甘南草原等民族宗教风情；东有天水麦积山、平凉崆峒山等胜景；西有敦煌莫高窟、嘉峪关长城等古迹。众多西部特色多姿多彩，把兰州、黄河映衬得更为深邃、悠远、厚重。

“看景下杭州，品瓜上兰州”，兰州是全国闻名的瓜果之城。兰州的特色风味小吃，也调和着这一方黄河水土的高寒。软儿梨、煮冬果，都属抵御风寒的热性食品。闻名全国的牛肉面，也很利于驱寒聚热。至于烤全羊、手抓羊肉、羊羔肉等则更是有益于体魄健壮。

兰州黄河文明的历史像夸父逐日的故事一样久远，兰州古城的真正意义在于以黄河为天堑，雄踞西北，“不谨萧墙之患，而固金城于远境”的重要战略地位。汉武帝西征匈奴的铁骑、张骞开拓丝路的驼队、隋炀帝西巡张掖的牙帐，都曾在兰州留下了历史的痕迹。然而，珍贵的历史风物已隐藏在现代都市的高楼背后。在黄河两岸近乎对称的五级阶地上，宽阔笔直的柏油马路环绕着鳞次栉比的高楼大厦，溢着清香的花坛苗圃散发着兰州这座历史古城的勃勃生机。而处于黄河上游的兰州，少有洪水泛滥，少有泥沙灾害，滴滴生命之水像乳汁般香甜，真是得天独厚，弥足珍贵，这也是黄河让兰州得以蓬勃发展的原因。

79. 敦煌
河山月泉小长安

敦煌，位于甘肃、青海、新疆三省（区）的交汇点，河西走廊最西端，古称“沙洲”。敦煌为一盆地型地形，周围高山环绕，以戈壁、沙漠和山地为主，绿洲面积仅占4.5%左右。

“敦，大也；煌，盛也。”“敦煌”这个名字，看上去就是如此华丽尊贵。汉武帝元鼎六年，首次以敦煌之名建郡。敦煌为汉河西四郡之一，史称“三危”、“瓜州”，为丝绸之路东、中段各线交汇的枢纽，是古丝绸之路上的一颗明珠。整个汉魏之际，多有战乱，但敦煌的经济和商业日渐繁荣，中原文化广为传播，佛教日渐兴盛，敦煌一度成为五凉文化的中心。唐武德二年置沙州，敦煌进入历史兴盛时期。因其重要的历史地位，被誉为“小长安”。

敦煌的河流主要有：浇灌敦煌绿洲的党河水，流程390余公里，发源于祁连山西区的党河南山冰川群的北坡和南坡。水源主要由北坡冰川的冰雪融水补给。流经肃北、敦煌两县，浇灌和孕育了敦煌盆地的三角洲。疏勒河，发源于祁连山及讨赖南山一带，流经昌马、玉门镇、安西，在西湖羊桥子附近流入敦煌境内。安西双塔水库建成后，除汛期有少量弃水流入境内外，其余时间都是干枯的。

敦煌境内的泉水主要有两部分：一是从三危山南部盆地或山中裂隙渗出汇集而成的西水沟和东水沟的泉水。西水沟的泉水又名宕泉河，是莫高窟绿地的长年水源。二是南湖的泉水，每年蓄放水约350万立方米，有效灌溉面积约2.7万亩。

敦煌的地下水资源，一是分布在三角洲冲积扇面平原上的浅层孔隙潜水和深层承压水，二是分布在三角洲东、西、北三面边缘低洼地区的浅层地下水。

过去的敦煌并不是满目沙漠戈壁。祁连山冰雪融化而成的疏勒河、党河流经敦煌，滋养了众多的湿地和野生林地。敦煌境内曾有东湖、西湖、南

湖、北湖四大湖泊，水量可观。鸣沙山包围着月牙泉，千百年来，水没有被黄土掩埋，无论气候多么炎热，它的水位也不会降低。有了这样的自然条件，敦煌成为了沙漠中的绿洲，被誉为“塞上明珠”。

敦煌因水而兴，因水而盛，但是历史上也曾因水而灾。明洪武年间的洪水彻底改变了敦煌汉代以来的辉煌，它使有着千年历史的古敦煌城荡然无存，敦煌特有的民俗、文化也随波而去，导致了敦煌民俗文化最大的历史断层，形成了很多敦煌研究的悬案。

如今，制约敦煌经济社会发展的依然是水资源短缺。农业是敦煌的传统产业，但是奇缺的水资源制约着敦煌农业发展。近几年敦煌市人口的增加，以及党河上游肃北、阿克塞两县生活、生产用水增加，党河水已经无法满足需求。敦煌市地下水位逐年下降，沙漠奇观月牙泉已面临干枯。因此，涵养敦煌水关系到敦煌地区千百年的生存、绿化、气候、生存之大计，敦煌人面临着水源枯竭的严峻考验。据媒体报道，敦煌市节水型社会试点建设已进入规划编制阶段。目前，该市节水型社会建设稳步推进，自然奇观“月牙泉”濒临干涸的境况将得到有效控制。

说起月牙泉，它和鸣沙山相得益彰，东西长300余米，南北宽50余米，泉形酷似月牙，四周是高耸的沙山。它的神奇之处就是流沙永远填埋不住清泉。这里还有举世闻名的莫高窟、阳关、玉门关、仿宋沙洲古城等旅游名胜。敦煌发达的文化培养出一大批文人名士，如号称“敦煌五龙”的索靖、氾衷、张甝、索紾、索永，他们都以文学闻名当时；著名的草圣张旭出自敦煌；敦煌人阚骃撰写的《十三州志》，是我国古代重要地理著作；索袭、宋繇、张湛等知名学者同样也是出自敦煌。

水是生命之根，水是绿洲之源，敦煌需要水的滋润、水的涵养。有了水，敦煌才能真正担负得起“瀚海明珠”、“小长安”的美誉。

80. 天水

天拢水脉出伏羲

"羲皇故里"甘肃省天水市是我国古代文化的发祥地，也是海内外龙的传人寻根问祖的圣地。天水被陇山渭水与西秦岭西汉水环抱，被誉为"陇上江南"。天水在古代是丝绸之路必经之地。全市横跨长江、黄河两大流域，新欧亚大陆桥横贯全境。总人口350多万，占地面积超过1.4万平方公里。

天水古称成纪、秦州，天水一名始于西汉武帝元鼎三年。关于天水之名有着各种传说，但普遍认为是源于"天河注水"的传说。《水经注》记载："城中有湖，水有白龙出，风雨随之，故武帝改为天水郡。"天水地处暖温带半湿润气候区，雨量充沛，在远古时期就有人类栖息。

天水有着丰富的水资源，有天拢水脉之说，意思是天水乃水脉汇集之地，集地表水与潜水于一身。著名的渭河水系和嘉陵江水系纵横其间。渭河在天水市境内段长约280公里，纳入大小支流269条，较大的支流有榜沙河、散渡河、葫芦河、藉河和牛头河，流域面积约1.2万平方公里。天水的地下水资源也十分丰富，泉水众多，过去城南的"官泉"，其水源离地面仅三尺许，水量可供全城人饮用。天水的名泉有北流泉、八卦泉（又名玉泉）、甘泉、清水的小泉、武山的龙泉，现在的清水、武山、街子还都有温泉留存。

关于天水最著名的传说就是伏羲的传说，据说这里是伏羲的故里。这说明早在远古时代，这一带就有了人类活动，并且开始文明的探索。天水自古以来便负盛名，"当关陇之会，介雍梁之间"，其战略地位极其重要。在汉唐时期，天水就已经是"都邑殷阜，聚落相望"的富庶之地，所谓"天下称富庶者无如陇右"。到了明清时期，人们

乱垦土地，砍伐树木，使这一带环境遭受到严重的破坏。最生动的例子就是杜甫《秦州杂诗》中的“今日明人眼，临池好驿亭”的天水湖在清代还有记载，但如今已经消失。但是，古国楼兰的悲剧终究没有在天水上演。解放之后，天水市迎来了发展的一个新阶段。尤其是在改革开放之后，天水市凭借其优越的地理位置和丰富的水资源大力发展农业和工业，优化产业结构，人民生活水平进一步提高。

天水这块土地，似乎在创世之初即与水有缘。上古的一场洪水，在吞没万物的同时，却让伏羲氏和女娲氏浮出水面。至今，天水依然有几间女娲和伏羲的古庙，伏羲文化节更是当地重要的民俗。天水的水给了伏羲带领人类走进文明的灵感，滋养了女娲补天的精神。天水之水养育了秦世的祖先。据载，“秦”是一种优质的养马草料，秦始皇的祖先，最早就是在这儿为周王室以“秦”养马，养马立功，而封地于秦，赐姓为嬴，马背上得天下，从而踏上了帝王之路。

天水的水也孕育了美丽的历史文化。麦积山石窟的灿烂文化可以与敦煌相媲美；大地湾文化遗址是重要的新石器遗址之一；秦亭故址、牧马滩再现一代枭雄秦始皇的故里风景；街亭、天水关、木门道、诸葛军垒等三国古战场遗址是三国时诸葛亮六出祁山、痛失街亭、智收姜维、计杀张郃等重大战事发生的地方。

天水的水还让这个陇上江南之地充满了江南的秀丽风情。水让山川多了一份灵气，多了一份秀丽。在天水，桃花沟、黑河、碧峪等森林公园内，林木高低有致、山花烂漫、溪水涓涓，是避暑、旅游和度假的好地方。在饱览华夏古文化的同时，也能领略一番江南水乡的秀美和北国山川的雄奇。

新时代的发展让天水这片古老的黄土地发生了深刻的历史变化。在时代的车辙里，天水将继承古老的华夏优良传统，尊重自然，尊重水，以求人与自然的和谐与发展。

81. 西宁

西海锁钥镇边陲

西宁市，青海省省会，是全省政治、经济、科技、文化中心。总面积约7 472平方公里，其中市辖区面积约340平方公里，总人口180多万。西宁有着渊源流长的历史文化，得天独厚的自然资源，以及绚丽多彩的民俗风情，是青藏高原上一颗璀璨的明珠。它地处青海东部，黄河支流湟水上游，四面环山，三川汇聚，扼青藏高原东方之门户。

西宁古称“湟中”，是一座具有2000多年历史的高原古城。西汉将军赵充国曾屯田于此，西宁亦是丝绸之路青海道的通衢、沟通中原与西部边地的重要城镇，也是历史上“唐蕃古道”必经之地。自古以来，西宁一直扮演着交通要塞的角色，今天的西宁市为兰青铁路终点、青藏铁路和青藏公路起点，依然是通往青藏高原腹地的交通要冲。

西宁水系较为发达，湟水是流经西宁的主要河流。湟水，位于中国青海省东部，发源于海晏县包呼图山，东南流经西宁市，到甘肃省兰州市西面的达家川入黄河。长约349公里，流域面积3 200多平方公里。由于流域有不同的岩性与构造区，因而分别发育成峡谷和盆地形态。峡谷有巴燕峡、扎马隆峡、小峡和老鸦峡等。由于地处青海、黄河、长江、澜沧江源头，而且境内河流纵横，西宁拥有广阔的发展空间。

西宁古为东西勾连要冲，它的发展也得益于此，同时，也与西宁的水有

着密不可分的干系。甘、青交界处的黄河、湟水两岸孕育了卡约文化。绵延的河流，两岸繁茂的草原，使得西宁的畜牧业得以发展，由此也形成了它具有特色的民族文化。

西宁虽没有江南水乡的文雅，却也是一个秀丽的地方，西宁八景“石峡清风、金蛾晓日、文峰耸翠、凤台留云、龙池夜月、湟流春涨、五峰飞瀑、北山烟雨”是对西宁山水的完美诠释。沿湟水一路赏来，西宁向你诠释的不仅是它的景致，还有它的精神文化，穿石峡而东流的湟水，两岸石崖壁立，刻录了历代文人的诗篇。西宁的石峡无论盛夏酷暑，峡中山高蔽日，清风徐徐，故有“石峡清风”之称。西宁西郊五里苏家河湾的五龙宫，宫内泉水上涌，每当月朗天高，喷涌的泉水便如龙戏珠子般荧荧的可人，此景故得名“龙池夜月”。五峰山堪称西宁八景之最，在绝大部分地区缺水的西宁独具特色。五峰山海拔较高，其景可简述为：三林、三洞、三泉。三林为：松树林、杨树林、灌木林。春夏之际，林中绿意葱茏，青翠欲滴。三洞指三个人工洞穴，每洞下有一处泉眼，泉水清澈，泉水引流处水势喷薄，蔚为壮观。五峰山的秀美汇集了极旺的人气，每年的农历六月六日，五峰山都有规模盛大的花儿会，附近土、回、藏、汉等民族人民纷纷前来，歌舞传情，盛况空前，很好地融合了民族间的文化。“北山烟雨”亦别具一格，此景是指西宁北禅山雨中景色。雨中北山，如梦如幻，有着一种朦胧的美感，如一幅变化无穷、高悬于天宇的水墨丹青。西宁名胜众多，著名的还有东关清真大寺、玉带桥等。

西宁土地广袤，数不尽的人物构筑了西宁深厚的文化底蕴。青海道作为河西走廊的辅道，联通了东西方，同时也留下许多故事。《西游记》中通天河唐僧遇险的故事脍炙人口；大唐盛世，中原与青藏“联姻通好”，开辟了中原至西藏的通道；文成公主的善行感化了世代的善男善女；数不尽的吐蕃首领在这里引领风骚。

西宁，一座古老而又低调的城市，披着历史的光环闪耀在祖国的西部，如今，青藏铁路的建通、众多水利设施的完善给西宁的发展增添了无尽的动力。西部开发的阳光将会重新照亮这片古道热土。

82. 银川
塞上江南凤凰城

“银川”一词最早出现在明末，因人们把这段黄河及其沿岸平原灌区形容为“银色河川”而得名。这片土地上还流传着一个美丽的传说：很久以前，贺兰山飞来了一只凤凰，看到这里黄河横贯、麦浪翻滚，一片风光秀丽的江南景象，一时竟不忍离去，便化身为一座美丽的城市——银川，永远留了下来。因此，银川自古就有着“凤凰城”的美称。

银川市是宁夏回族自治区首府，是一座历史悠久、风光秀丽的塞上古城，是中国历史文化名城之一。银川市位于黄河上游宁夏平原中部，东以黄河和明长城为界，与陶乐县和内蒙古鄂托克前旗毗邻，西依贺兰山，与内蒙古阿拉善盟为邻，南接吴忠市，北连平罗县。银川平原土地肥沃，物产丰富，自然条件得天独厚，自古以来就被誉为“塞上江南”、“鱼米之乡”。

银川市地处宁夏平原引黄灌区中部，水利资源丰富。黄河过境长度约78公里，流经银川市的唐徕渠、汉延渠、西干渠、惠农渠等灌渠年引黄河水量达18.2亿立方米。银川平原地下水资源储量大、埋藏浅。

黄河，无疑在银川城市兴起、变迁和发展过程中扮演着极其重要的角色。银川市并不靠近黄河，由于黄河泥沙含量高，在银川平原河床内淤积，常常引起黄河改道，这造就了银川平原上的众多湖泊沼泽。它们的存在，对城市的建设发展产生了一定的影响，如西夏兴建兴庆府时，由于受城市四周湖泊分布的影响，发展成为东西长、南北窄的城池形状。众多的湖泊，如深度较浅的积水湖、渠间洼地湖等，或为银川的发展提供场地，或提供丰富的水产品。而银川中山公园湖、留芳园湖、西湖等均成了风景游览区。这些，使银川更具“塞上江南”水乡的城市风貌。

另外，黄河水量季节性变化明显，一般冬季水量少而且封冻，航运不便，所以黄河在银川平原境内几乎无航运，城市交通主要依靠陆地。

在众多的湖泊当中，沙湖是最有名的一个。它原本是一片湿地，由于不远处有贺兰山，每年夏季遇暴雨时，便有山洪下泄，经多年积蓄便形成了这样一个天然湖泊。湖泊形成之初，这里的人们利用它养鱼以增加收入，为了保证水源，便引来黄河之水作补给水源。这里的湖水清澈，东南方还有大片的湿地，加起来的总面积远远大于杭州的西湖。沙湖以自然景观为主体，资源蕴藏量丰富，“沙、水、苇、鸟、山”五大景源有机结合，构成独具特色的秀丽景观，是融江南水乡与大漠风光为一体的“塞上明珠”。

随着张骞出使西域，那阵阵驼铃奏响了另一篇动人的篇章。中华文明也沿着此路，走到了阿拉伯，走到了欧洲，甚至更远的非洲。在这里，中原文化、戍边文化、河套文化、丝绸文化、西夏文化、伊斯兰文化等多种文化交融汇合。而现在的银川最有特色的当属伊斯兰文化，穆斯林的子孙们在这里繁衍生息，辛勤劳作，遵循古老的训言，为着真主安拉，为着先知穆罕默德，为着所有的穆斯林兄弟而存在、而拼搏。

银川就是这么一个有着奇特文化和神奇景色的地方，在这里不仅可以观赏到众多的人文景观和自然风光，而且还可以参与其中，可骑着别具风情的“沙漠之舟”——骆驼，满怀激情，走进那无垠的大漠深处，纵览沙海；也可乘着羊皮筏子漂黄河，沿途有惊无险，水声山色，景观纷呈，目不暇接。明代长城、古老水车、河心孤岛、沙漠绿洲、牛羊遍山等富有传奇色彩的景致使游人大开眼界。船工《黄河九十九道弯》的嘹亮歌声在黄河上久久回荡，更让人感受到黄河母亲的宽广、厚重、古朴与豪迈。夜宿黄河边的沙坡山庄，睡听黄河涛声，别有一番风味。

近年来，针对水资源短缺和水环境状况恶化的问题，银川市加大了对水环境的治理力度，整治市区内的排水干沟，强化水的循环使用等，为的是让银川人民有一个美好的家园，让“塞上江南”的美誉永在。

历史与现实、梦想与实际、汉族与少数民族、大河与大漠的交融，银川，诠释着别样的文明，演奏着壮丽的交响乐章。

83. 乌鲁木齐
美丽的雪域牧场

乌鲁木齐在蒙古语中，是“优美的牧场”之意。它位于天山北麓草原地带，东临天山东段最高峰——博格达峰，南依连绵千里的天山林带，西、北紧靠准噶尔盆地，是世界上离海洋最远的城市，是西域著名的“耕凿弦诵之乡，歌舞游冶之地”。

乌鲁木齐因其特殊的地理优势，自古便有“开天辟地之门户”的称谓，历史悠久，创造过灿烂的古代西域文明。它是举世闻名的古“丝绸之路”新北道的必经之路。公元1884年，新疆建置行省，乌鲁木齐被定为省会，升为“迪化”府。

由于地处天山，乌鲁木齐存在着冰川融水、地表径流和地下径流等不同形态的水资源。乌鲁木齐地表水水质较好，河流均为内陆河，河道短而分散，源于山区，以冰雪融水补给为主，水位随季节变化大，散失于绿洲或平原水库中。乌鲁木齐地区共有河流46条，分别属于乌鲁木齐河、头屯河、白杨河、阿拉沟、柴窝堡湖5个水系。乌鲁木齐地区冰川资源丰富，而冰川素有“高山固体水库”之称，主要分布在乌鲁木齐河和头屯河上游的天格尔山以及东部的博格达山，区域内的湖泊有盐湖和柴窝堡湖，二湖位于东南部的柴窝堡达坂城谷地。其中盐湖原盐芒硝储量丰富，产品畅销全疆和内地许多省区。

天山天池是乌鲁木齐最著名的景点，它处于天山东段最高峰博格达峰

的山腰，距乌鲁木齐约 110 公里，平均海拔 1 928 米，是举世闻名的游览胜地。天池以高山湖泊为中心，雪峰倒映，云杉环拥，碧水似镜，风光如画，古称“瑶池”，据说神话中西王母宴群仙的蟠桃盛会便设在此处。“天池”一名来自清代，取“天镜，神池”之意，极言此地风光之美。湖水系高山融雪汇集而成，水深近百米。每到盛夏，湖周绿草如茵，繁花似锦，最为明艳。即使是盛夏，湖水的温度也相当低，行船湖上，一阵阵凉风吹来，暑气全消，是避暑的好场所。清代一些著名的政治家、文人，如林则徐、纪晓岚、洪亮吉、刘鄂、肖雄等都曾先后在乌鲁木齐居住或逗留，并留下了许多脍炙人口的诗章。

乌鲁木齐自然资源也非常丰富，有“油海上的煤城”和“煤田上的城市”之称，还有丰富的待开发的光、热、风能资源和野生动植物资源。更值得一提的是其秀丽的风光和人文历史遗迹。这些得天独厚的资源为乌鲁木齐的发展提供了十分有利的物质条件和文化条件。

实际上，乌鲁木齐市是一个资源型缺水城市。近十几年，乌鲁木齐市经济高速发展，城区面积和人口不断增加，但水资源总量没有增加，而距离乌鲁木齐市 120 公里的 1 号冰川的退缩，敲响了警钟。

水资源的匮乏造成生态环境的恶化。有专家指出，乌鲁木齐沙尘暴有增多的趋势，直接原因与缺水有关。水是制约乌鲁木齐经济可持续发展的重要因素。

为此，乌鲁木齐正在进行节水型城市建设，并与全球最大的水务集团——法国威立雅水务环境集团合作建设了一个全国规模较大的污水处理厂，加大了水资源的循环使用力度。

84. 喀什
叶尔羌河瓜果乡

喀什位于新疆西南部，全称为“喀什噶尔”，是维吾尔语的音译，表示玉石汇集的地方、玉石之城。

这片绿洲历史悠久，有文字记载的历史已有2 000多年。公元前138年和公元前119年，张骞两次出使西域，加强了喀什与中原的联系。公元前60年，汉朝在新疆设西域都护府，喀什作为西域的一部分正式列入中国版图。到唐代这里又是著名的“安西四镇”之一的疏勒镇。在15世纪海路开通之前，喀什作为古“丝绸之路”的交通要冲，一直是中外商贾云集的“国际商埠”。

喀什全区属于叶尔羌河流域和喀什噶尔河流域，大小河流共有10条。其中叶尔羌河是喀什地区最大的河流，支流众多，较大的支流为塔什库尔干河、克勒肯河。叶尔羌河位于喀什地区东南部，源头由拉斯开木、阿克塔盖两河在喀喇昆仑山口黑巴龙克汇合而成，属融雪补给型河流。在维吾尔语中，叶尔羌河意为“土地宽广的地方”。

叶尔羌河被称为喀什的母亲河，因为有它的存在，喀什才得以生存、发展。在河流的上游，因两岸陡峭的山峦长有红柳、杂草，交通很困难，但可以作放牧牲畜之用；下游，就是叶尔羌河的主要灌溉区域——叶尔羌河平原，那里盛产小麦、玉米、棉花、水稻，被誉为“塞外江南”，是全国地区级最大的商品棉基地和重要的商品粮基

地。除此之外,此地还盛产杏、梨、核桃、苹果、葡萄、无花果、巴旦木、伽师瓜等,“瓜果之乡”的美名早已闻名于世。叶尔羌河良好的水质,是喀什地区工农业及居民生活用水的主要来源。

喀什的古老人文景观和独特自然景观交相辉映,旅游资源十分丰富。布拉克贝希泉是喀什有名的游览胜地。布拉克贝希是维吾尔语,意为“泉边”,汉语称“九龙泉”。传说原有九眼清泉,不过现只剩下了五眼泉水。目前新开发出的喀什河漂流被称为“西部第一漂”。漂流河道穿越西北面积最大,亚洲保护最完整的原始森林,并飞渡西部小三峡,在漂流过程中千奇百态的喀什河流域风光可尽收眼底。卡拉库里湖是喀什的另一个有名的水景观,地处帕米尔高原东部的幕士塔格冰山脚下,该湖在群山环抱之中,湖畔水草丰美,常有柯尔克孜牧民在此驻牧。依湖建有旅游接待站,备有帐篷蒙古包、游艇、骆驼、马匹等供游人之需。

叶尔羌河的水养育了两位世界级的历史名人:优素甫·哈斯·哈吉甫和麻赫穆德·喀什噶里。优素甫·哈斯·哈吉甫著有叙事长诗《福乐智慧》,此书是用古回鹘文写成,涉及当时的政治、经济、文学等,产生了巨大影响,受到国内外史学界的重视。麻赫穆德·喀什噶里是11世纪我国维吾尔族著名语言学家。他经过长期调查研究,用阿拉伯文著成了第一部《突厥语大辞典》。这部巨著堪称一部关于突厥民族的百科全书,对研究中亚各国的历史、地理、民俗风情、社会生活、文学艺术等具有很高的价值。

为了更好地管理当地的水资源,喀什兴建了约102座水库,其中储水量超过1亿立方米以上的水库有小海子水库、西克尔水库、永安坝水库和前进水库等,其中小海子水库最为有名。

85. 香港

紫荆花开溢香江

香港是中华人民共和国所辖的特别行政区，地处华南，在珠江口以东，由香港岛、九龙半岛、新界以及262个大小岛屿组成。其北接深圳市，南面是广东省珠海市万山群岛。明朝时，香港以生产及出口香木为主，常于石排湾（即今日之香港仔）把香木用船运往广州，故有“香港”之称，意思为“香木的港口”，这也是“香港”名称的由来。

香港水资源短缺，除与深圳交界的深圳河以外，主要有城门河、梧桐河、林村河、元朗河和锦田河等，均为短小河流，河长均不超过8公里，源短流急，为季节性河流。深圳河发源于梧桐山牛尾岭，自东北向西南流入深圳湾，出伶仃洋。香港境内的梧桐河是深圳河的主要支流，数千年来，这条河一直在梧桐山下缓缓流淌。

而维多利亚湾堪称香港的咽喉，它地处香港岛与九龙半岛之间，这里港阔水深，自然条件得天独厚。水域总面积约达60平方公里，宽度从1.2公里到9.6公里不等，可以停泊远洋巨轮。维多利亚港有三个主要出入水道，是进入香港的门户。香港亦因维多利亚港而有“东方之珠”和“世界三大夜景”之美誉。事实上维多利亚港以及维多利亚湾两岸的建设和发展的确一直影响着香港的历史和文化，亦主导着香港的经济和旅游业发展，是香港成为国际化大都市的关键之一。

很早以前，英国人看中了维多利亚湾

有成为东亚地区优良港口的潜力，不惜发动鸦片战争来从清政府手上夺得香港，以便发展其远东的海上贸易事业。自此，香港也就开始了从渔村到国际化大都市的嬗变。

维多利亚港来往繁忙的船只，带给香港多元的文化。无论是西方文化，还是中国传统文化，你都可以在此感知，并且二者永远在不断地碰撞和融合之中。

在香港发展的历程中，水也曾是一大瓶颈。早年，香港全部饮用溪间流水和井水，至 1863 年才以人工筑成第一个储水塘——薄扶林水塘。由于社会经济迅速发展和居民用水量急剧增加，水塘水已渐渐供应不足，缺水、水荒和“制水”现象几乎年年发生。1961 年广东省深圳水库建成后，始向香港供水，于 1964 年又动工兴建了东江——深圳供水工程，简称东深供水工程，引东江水供香港，以缓解香港供水的矛盾。此后，东深供水工程先后进行三期扩建。从此，香港缺水、水荒的状况才从根本上得到缓解，“制水”现象也随之消除。

“风吹紫荆树，色与春庭暮。”回归后的香港，已不再仅是地理意义上的香港岛，而成为全球化文明的全息缩影，它包含着更多的世界文化基因。在更加开放和经济崛起的和风拂柳的春天里，香港必将姹紫嫣红，繁花似锦。

86. 澳门

江口海滨的赌城

澳门是世界著名自由港，也是世界三大赌城之一。1864年，被葡萄牙人侵占；1999年12月20日回到祖国的怀抱，以澳门特别行政区的新形象面向世界。澳门地区由澳门半岛及凼仔岛、路环岛这两个离岛组成，总面积约26平方公里，人口约44万，其中大部分居住在澳门半岛，95%以上都是华人。澳门是世界上人口最稠密的地方之一，也是亚洲人均收入比较高的地区。

澳门原是海中孤岛，其后由于西江的泥沙冲积和海水对流，在澳门与大陆之间冲积成一道沙堤，才与大陆相连接，成为一个半岛。很早以前，澳门只是个滨海小渔村。澳门的名字源于渔民非常敬仰的海神天后，又叫“妈祖”。当第一批葡萄牙人来到澳门时，就询问当地的名称，居民误以为指庙宇，答称“妈阁”。于是葡萄牙人音译成“MACAU”，遂成为澳门葡文名称的由来。

澳门位于我国东南沿海珠江口的西岸，珠江水系流经澳门入海。另外，澳门东隔伶仃洋与香港相望，南濒南中国海。澳门半岛三面临海，而其他两个离岛则完全孤立于大海之中。澳门海岸线长达937.5公里，形成了南湾、东湾、浅湾、北湾、下湾、大凼仔湾(凼仔)、九澳湾、竹湾、黑沙湾、荔枝湾等多处可供船只停泊的地方。

澳门的发展源于西江，西江是珠江水系的主干流，流经云南、贵州、广西、广东等省区，在澳门附近的磨刀门入海，是中国仅次于长江的又一条“黄金水道”。在以水路运输为主的时代，西江是中国西南省区出海的传统主通道。而地处西江出海口的澳门，则是西江流域和大西南地区对外贸易的传统出海门户。西南的丰富物产，多由西江水道经澳门运往日本、菲律宾、印度、欧洲和美洲。所以澳门历史上曾经是16、17世纪东西方贸易的重要港口。

澳门的地理位置虽然相当优越，但淡水资源却严重缺乏。据史料记载，有一段时间整个澳门就以2 000多个大小水井作为水源，或者划着小艇到珠

海湾仔一带提取淡水饮用。所以，自 20 世纪 50 年代开始，内地尤其是珠海市，开始向澳门地区供水，以满足所需食用水的供应。后来，澳门才逐渐建成大小水塘、水库，成立了自来水公司。

此外，澳门半岛的海运深受珠江口的淤泥积聚的影响，无论是内港还是外港，都要常年疏通淤泥才能使货、客轮通过。所以，在香港开埠以后，澳门不得不让位于香港。不过，澳门仍然是一个适于湾泊中小型船只，上通广州、下达南洋，东到日本、西至越南的优良港口。

在澳门，中西方文化交汇长达 400 多年，这给澳门留下了大量的名胜古迹和独特的文化风情。各种宗教文化漂洋过海来到澳门，使得澳门成为世界宗教的集合地。澳门的名胜古迹也大多与宗教有关：普济禅院、妈祖阁、蓬峰庙被称为澳门三大古刹，天主教的玫瑰堂、望德堂、大堂、板樟堂等也很有名，著名的大三巴牌坊就是圣保禄教堂火灾后遗留下的前壁。这里的自然风光非常秀丽，背靠美丽富饶的珠江三角洲，面临大海。澳门又是自由港，进口物品价格低廉。所有这些都吸引着众多的海内外游客前来游览、观光、购物。所以澳门虽小，但丝毫不妨碍它在世界旅游市场上占据重要的地位。

自回归祖国以来，澳门扩大了与近邻珠海的经济合作，共同开发利用横琴岛、高栏港，冲破了港湾“地狭水浅”的主要发展束缚。为加强与内陆腹地的经济合作，强化水上通道建设，澳门与沿江城市共同推进西江水系整治，加快航道建设，尽早把西江建成江海直达的现代化黄金水道。澳门必定能够发挥其自由港的优势，重新发挥西江流域以至大西南的对外开放门户的作用。

87. 台北
日月潭畔的都会

台北市处于台湾岛北部的台北盆地中央，是台湾省省会、台湾省第一大城市，也是台湾的政治、经济、文化和教育中心。全市总面积共 270 多平方公里，现有人口 270 多万，是台湾省人口密度最高的地区。

早在四五百年以前，台北盆地还是一片沼泽密林，人烟稀少。由于这里交通便利，自然资源丰富，17 世纪初期曾被西班牙人占领作为其海上航运的中转站。后来荷兰人赶走西班牙人，并在此筑城统治，即今红毛城。直到明末清初，郑成功驱逐荷兰殖民者后，汉人才又重新管理起这片土地。

清康熙年间，泉州人获得到台北地区开垦的许可，这里便开始出现沿河的村庄，经济发展活跃起来。因为当地居民都用独木舟作为交通工具与汉人交换物品，故这里又被称为“艋舺”，意为“独木舟聚集的地方”。后来汉人日渐增多，又因淡水河的水运便利，艋舺很快成了货物的集散中心。在清光绪元年，此处设立台北府，统管台湾行政，“台北”之名即始于此。台北能够成为台湾省会，与河运便利是分不开的。

台北市境内的河流都属于淡水河流域，主要有新店溪、基隆河、大汉溪三大支流水系。这三大支流在台北关渡地区汇流成淡水河，流入台湾海峡。另外，台北市还有一些二级支流，像新店溪的支流——景美溪与基隆河的支流——双溪和磺溪等。

众所周知，人类早期文明发源地大都处于河川流域。淡水河对台北盆地的开拓和发展起了决定性的作用。淡水河水系不但给盆地的人们提供了充足的饮用和灌溉水源，而且还作为水上运输的动脉而存在，为早期台北的

繁荣发展奠定了基础。台北地区的第一个市街——万华就诞生在淡水河水系的大汉溪支流边。经济上的富裕能够促使政治地位的提升，而政治地位的提升，又会再促进其政治、经济、文化中心的形成。正是以这样的优势，台北在清末时就已经是台湾最繁荣的大都会。

所以，淡水河绝对可以算作是台北的母亲河。它是台湾第三大河，历史上曾是全台湾唯一的水运航道，也是台湾省唯一被称为“河”而不是“溪”的河流。当时的淡水河上，因为来往船只众多，“淡水风帆”成为台湾北部的一个著名自然景观。19 世纪晚期，位于河口处入海口的淡水镇，已发展成为台湾北部最繁华的港口。

淡水河流域还孕育了台湾辉煌的历史文化，如最古老的长滨文化、新石器时期的大坌坑文化等。不同的族群在同样的淡水河养育下，也都创造出了各自灿烂的文化。沿着淡水河散布着许多的历史文化遗迹，例如渡船码头、淡水老街、红毛城、城下古炮、福佑宫……

在台北的自然风景区中，最负盛名的非日月潭莫属。它是台湾岛上唯一的天然湖泊，湖面辽阔，潭水澄澈，其美名已遍传天下。潭中有一座小岛，名为珠仔屿，或称珠仔山，以此岛为界，北半湖形状如圆日，南半湖形状如一弯新月，“日月潭”就因此而得名。

如今，淡水河的水运能力和水质虽然都大不如从前，但仍蕴藏有巨大的能量资源。这将继续为台北的发展提供足够的动力。台北市有数百年的亲水环境，但过多的防洪措施已经隔绝了台北市民与水的关系。台北市政府正致力于考虑未来市内亲水活动该如何发展的问题。

88. 基隆 依山滨海的雨都

基隆市位于台湾的东北角，三面环山，一面临海，全市面积约133平方公里，人口约40万，为台湾北部重要的国际商港，加上境内岛屿、港湾、山陵兼具，繁华的港都置身于山海之间，无论功能及形态上皆具香江风情，犹如一个“小香港”。基隆有“雨港”之称，全年雨日长达213天，所以有人说：基隆人是不收伞的。

基隆原名“鸡笼”，“鸡笼”之名是由原住民凯达格兰族的族名尾间“格兰”二字讹转而来。还有一种说法是：因为从海上遥望，状似鸡笼。此名一直沿用至1875年（清光绪元年），清政府取“基地昌隆”之意而改名为“基隆”，直到现在。

基隆境内的河流主要是指淡水河水系，淡水河位于台湾岛北部，流域面积约为272万平方公里，干流长度大约159公里。它是台湾第三长和第三大河流，是台湾北部最重要的河川，也是北部地区的主要供水河流之一。淡水河流域涵盖台北市、基隆市、桃园县、新竹县，干流发源于大霸尖山。支流有基隆河、大汉溪、新店溪。大汉溪上游有石门水库。新店溪的支流北势溪有翡翠水库。

游台湾的游客很少有机会去游基隆河，因为这似乎仅是一条太普通不过的流经不少乡村的河流。然而，正是这条曲折蜿蜒的基隆河，却蕴藏着一段段曲折离奇的民间传奇，宛如一部台湾百年史。

基隆河发源于台北县平溪乡菁桐坑。因是一条流路诡谲的河流，故而有“蛇美人”之称，先往东北流到瑞芳镇然后180度大转弯，至汐止入台北盆

地，在关渡汇入淡水河，它本来是三条各不相同的河流，在台北盆地陷落后，才阴错阳差地被迫结合。“S”造型的流路，怪异多变，为世界少见的河流景观。

在清朝北部陆路尚未发展时，基隆河的水运就成为当时最重要的交通要道，沿岸的一些市集也因水运而发达，成为区域货物交易的集散中心，同时也出现了许多有钱人，暖暖（地名）至今流传一句俗谚：“水流东，吃未空。”说的正是因为暖暖溪的出口处溪水流东，暖暖也就出了许多富有的人家。

然而，基隆市的发展也面临着新的问题，由于地区的特殊情况，水资源利用中出现了许多问题：经济结构的转变，服务业和工业的成长打破了原有的供需格局，如何掌握可靠的水资源、避免缺水问题显得十分重要；另一方面，水库集水区、河川湿地及海岸等环境敏感区深受开发压力威胁；沿海养殖鱼类大量抽用地下水，使得地层下陷，引发海水倒灌、土地盐化、海岸侵蚀等严重问题。推动流域水、土、林整体规划与治理，以消除洪水灾害，城市发展迫切需要制订新的水资源政策。

服务业发达的基隆，也有着丰富的旅游资源，观海亭、慈航寺、佛都图书馆和建于 1889 年的灵泉寺（基隆最古、最大佛寺，有 33 尊观音石像排立），有社寮岛蓄字洞和千叠敷海蚀奇观，此外，还有海门天险、清代炮台遗址，以及“仙洞听潮”、万人堆、狮球岭炮台、暖暖水源地等旅游胜地。

此外，基隆港的修建奠定了基隆市的繁荣，自台湾日据时期起，基隆港四周一直是政治、商业、人文活动之中心。自然港湾时代的基隆港，水道甚浅，加上东北季风又常激起狂浪，潮落时更是多为涂滩，仅 1 000 吨级的轮船都无法进港，只得停泊在港外；自 1899 年到 1935 年，基隆港分期展开扩建，施设四次筑港计划，终于建成台湾第一大良港，2 万吨级巨轮可以直接靠岸，不仅成为台湾与日本之间的枢纽，并且航路可达中国大陆和南洋各地，再转运世界各国，和高雄市并称“台湾两港市”。

贰 国外城市

89. 巴黎 塞纳河畔的丽都

法国首都巴黎是世界十大名城之一。它位于法国北部巴黎盆地的中央，横跨塞纳河两岸。巴黎有小巴黎、大巴黎之分。小巴黎指大环城公路以内的巴黎城区，面积105平方公里，人口200多万；大巴黎包括城区周围的七个省，面积达12 000平方公里，人口约1 000万，几乎占全国人口的五分之一。巴黎是法国最大的城市，也是世界人口最多的大都市之一。

巴黎有2 000多年的历史，作为法国的首都亦有800多年之久，是一座古老的都城。巴黎起源于塞纳河中一个叫“西岱”的小岛。西族人生活在这里，他们以捕鱼为生，随着时间的流逝，这个小村落变成一个叫“吕戴斯”的小镇。公元358年，罗马人占领了西岱。罗马大帝朱利安陶醉于塞纳河柔缓的波浪和清澈的河水，在此大兴土木，并正式定名为巴黎，因为岛上生活着高卢族巴黎西部落。罗马文化也开始在这里扎根。公元486年，克罗维斯奠都巴黎，建立了历史上著名的法兰克王国。公元10世纪，在菲利普·奥古斯特的统治下，巴黎工商业得到飞速发展，城市规模不断扩大，到14世纪，巴黎已成为西欧的一座大城市。公元16世纪末、17世纪初，当时的国王亨利四世将巴黎大大地扩建了一番，到了18、19世纪，巴黎仍在逐步扩大，大量的耕地被城市占用，法兰西第一帝国后期，巴黎拥有70多万居民、千余条大街；第二帝国建立后，巴黎又吞并了周围的一些村庄；拿破仑三世时，在巴黎开辟了一些宽阔的街道，修建了许多园林和公园，使巴黎开始形成了今天的样子。

流经巴黎市中心的塞纳河是法国第二大河，全程770余公里，它发源于东部海拔471米的朗格勒高原。从西向北流过巴黎市区，在市区内的流程约13公里。它曲折宛转，向西伸展，穿过巴黎盆地，经鲁昂最后在勒阿弗尔港附近注入英吉利海峡，整个流域面积约有7.8万平方公里。该河有540公里可供通航，货运量居全国之首。沿岸地区为法国经济中心，有运河与莱茵河、卢瓦尔河等相通。

塞纳河是法国河流中流程虽短却极负盛名的一条河。塞纳河沿岸风光秀丽，楼房鳞次栉比，有的建筑已历经了几百年的风雨，有的则是现代技术的杰作，它们完满地体现了巴黎不同历史时期的建筑艺术与风格。沿河而行，卢浮宫、奥赛博物馆、巴黎圣母院、埃菲尔铁塔等名胜都可一一饱览无余。

一条塞纳河将巴黎城分为左右两岸，两岸的发展速度相同，这种现象极为罕见，但由于历史原因，两岸也特色迥异。自12世纪以来，左岸一直是塞纳河南端最具活力的地区。在20世纪的30、40年代，圣日耳曼区赢得“世界知识中心”的美誉。拉丁区的咖啡馆和酒馆里挤满了来自世界各地的艺术家、作家和哲学家，还有群居在蒙帕那斯的画家和诗人，以及巴黎著名的索邦大学和美术学院的学生。在这个区域有埃菲尔铁塔，河中西岱岛上有巴黎圣母院，西南部有凡尔赛宫，西北部蒙马特高地上有露天画廊。这些都是世界上声名赫赫的建筑物或景点，为世人所向往。

右岸位于塞纳河的北岸，历经数代王权势力的更迭，集繁华、成熟和高雅于一身，成为巴黎的金融、贸易和商业中心。在这里坐落着国际广场、巴士底广场、卢浮宫、协和广场、爱丽舍宫、戴高乐广场等名胜。巴黎全城除了久负盛名的自然与现代景观外，那些名不见经传的角角落落似乎也浸染了时光沉淀的艺术气息。

巴黎的美，在很大程度上归功于在城区缓缓流过的塞纳河，由于塞纳河在巴黎的发展过程中起了重大的推动作用，故巴黎又被称为“塞纳河的女儿”。

90. 柏林
森林与湖泊之都

柏林是东、西德统一后德国的首都，它位于德国东部，是德国最大的城市，它还是欧洲的金融、政治、文化中心之一。柏林依水而建，整个城市的水道与湖泊星罗棋布。湖泊附近生长着大片森林，故柏林素来享有“森林与湖泊之都”的美誉。

柏林是著名的欧洲古都，始建于1237年。当时以号称“大熊”的日耳曼人阿尔贝特为首的阿斯卡尼亚家族赶走了斯拉夫人，占领并开始统治这片土地。这也是柏林的城徽“大熊”的由来。1237年，施普雷河东岸的柏林与西岸的渔民集居区合并，从此经济贸易活跃起来，柏林逐渐成为商人、技工和艺人的聚集地。这次合并被认为是柏林的诞生。1871年1月18日，俾斯麦统一德国，柏林成为德国的首都，并发展成为德国政治、经济、文化的中心，由此被称为“施普雷河上的雅典”。第二次世界大战后，柏林被分割为东、西柏林。1990年两德统一，柏林结束了一个城市、两种制度的局面，重新成为德国的首都。对于柏林名称的来源，一说起源于德语，意为“荒地”，另说起源于条顿语，是“沼泽”或“水池”的意思。

柏林是一座水滨城市，城市大约7%的面积为水域。施普雷河穿过市中心，哈弗尔河蜿蜒于西部，形成湖泊群。由河流、运河及湖泊组成的水运网总长近200公里，近1 700座桥跨越其上，使柏林远远超过了威尼斯和阿姆斯特丹，成为欧洲拥有桥梁最多的城市。柏林的水路四通八达，同联邦及各州的水路网紧密相连。

柏林的水在其城市发展的过程中扮演着十分重要的角色。不

仅仅是可见的水域塑造着柏林的面貌，居民的饮用水也全部是来自本地的地下水。地下水通过河岸过滤、渗透天然降水和人工浓缩等步骤，为柏林提供了丰富、清洁的饮用水。柏林的水域还是货运和客运的重要道路。早在工业化之前，城市的基础设施就依水而建，货物经河流及运河运进城里。今天，从河流两岸的景象仍然可以窥见柏林工业化的痕迹。后来在城市统一和非工业化的进程中，人们对水的态度有了根本性的变化，对水又有了新认识，人们开始珍视水、保护水，濒水地区逐渐发展成为居住、工作和旅游的胜地。

在柏林，最著名的水景观是沙滩和湖泊。在夏季，湖泊是人们水上运动、游泳及出游的好去处，而沙滩则是游客放松身心的最佳地点。最大的水上运动中心在万湖和米格尔湖，在万湖有柏林最著名的夏日浴场。这座于1907年建成的沙滩浴场长1 275米，是欧洲最大的内陆浴场。城市东南的米格尔湖是柏林市最大的湖泊，是水上运动爱好者向往的郊游之地，那里可以冲浪、划船和游泳，也是帆船爱好者的天堂。除此之外，柏林还有很多拥有优质水域的小型浴场，其优质水域如此之多，连许多大城市都望尘莫及，吸引了成千上万的游客。水上运动爱好者在此更是如鱼得水；没有私船的人，可租借到赛艇、划艇、摩托艇和快艇等各类船具，用来进行钓鱼、划船、乘帆船乃至风帆冲浪和滑水等运动。

柏林是一座文化名城，它是德国古典哲学中心、浪漫主义文学据点、现代诗歌的发源地。在柏林，施普雷河从南面缓缓流过市区，沿岸普鲁士风格的古建筑与现代化的摩天大楼交相辉映。柏林正在重建“文化之都”，现有3座歌剧院和几十座剧院以及许多世界级博物馆。柏林的建筑多姿多彩，蔚为壮观，既有巴洛克风格的灿烂绚丽的弗里德里希广场，也有新古典主义风格的申克尔剧院，既有富丽堂皇的宫殿，也有蜚声世界的现代建筑流派作品，在这里几乎全年都是文化节。

91. 布宜诺斯艾利斯
世界最宽河宠儿

布宜诺斯艾利斯是阿根廷首都，也是阿根廷的政治、经济、文化、交通中心。它坐落于世界上最宽的河流——拉普拉塔河河畔。拉普拉塔河最宽处达230公里，景色宜人。布宜诺斯艾利斯地势险要，是阿根廷的战略要地，同时由于它港湾多、河水深，又是良好的军港和商港。

布宜诺斯艾利斯的全称是“圣迪西玛特立尼达德圣玛丽亚港德布宜诺斯艾利斯”，据说这是世界上最长的地名之一，在西班牙语中的意思为“空气清新”。布宜诺斯艾利斯是一座拥有400多年历史的古老城市。16世纪前，这里一直居住着印第安部落。1535年8月，西班牙人佩德罗·德门多萨率领船队来到拉普拉塔河西岸，发现河面宽阔，河岸绿草如茵，林木苍翠，空气新鲜，便在此地抛锚定居，并于次年开始建设城镇，定名为布宜诺斯艾利斯。后来，秘鲁人和印第安人以及土著人等爆发战争，城市几乎变成废墟。另一位西班牙人胡安·德拉加伊于1580年重新建设布宜诺斯艾利斯城。1776年布宜诺斯艾利斯被定为拉普拉塔总督辖区的首府，1816年被定为阿根廷的首都。

巴拉那河是南美洲第二大河，它的主源格兰德河出自巴西高原东南缘的曼蒂凯拉山北坡，与巴拉那伊巴河汇合后，始称巴拉那河。它由东北向西南流，先后汇入巴拉圭河、乌拉圭河等重要支流，下游折向东南，河口段

称拉普拉塔河，最终注入大西洋。拉普拉塔河是布宜诺斯艾利斯境内最重要的河流。拉普拉塔在西班牙语中意为“银子”。1527 年，西班牙探险家塞瓦斯蒂安·卡沃托率领一支远征队到达南美大陆后，发现当地印第安人佩带着很多银制的饰物，以为当地盛产白银，便将这条河命名为拉普拉塔河。

拉普拉塔河对布宜诺斯艾利斯的经济至关重要，是进出口贸易的枢纽。在农业方面，河流流经之处农作物丰富，盛产玉米、大豆、高粱和小麦，可以说拉普拉塔河给布宜诺斯艾利斯带来了繁荣。但是由于气候原因，这座城市曾经常因雨水不足而面临断水危险。20 世纪 90 年代初时，一到夏天，布宜诺斯艾利斯就简直成了“炼狱”。这个南美洲最富有的城市忍受着缺水的折磨，污水处理系统也基本瘫痪，水价飙升。后来，当地政府大胆地把城市水系交给私营的法国苏伊士里昂自来水公司管理。自 1993 年后，该城用水恢复正常，水价回落到普通市民可以接受的水平。

布宜诺斯艾利斯市区以拉普拉塔河岸为基线像扇面一样展开，来自世界各地的树木在此蓬勃生长，绿化程度极高，景色宜人。布宜诺斯艾利斯作为西班牙殖民地中心近 300 年之久，已是一座十分欧化的城市，不仅城市居民几乎都是欧洲移民的后裔，而且城市布局、街景以及居民的生活方式、民俗习惯、文化情趣，处处显露出欧洲风情。城市建筑物更是带有明显的欧洲建筑色彩，哥特式、罗马式建筑与现代化高层建筑交相辉映。五月广场为市中心，广场上有洁白的独立纪念碑和总统府“玫瑰宫”。弗洛里达大街街面狭窄，却繁华非凡，商店、咖啡馆、舞厅众多，被喻为“南美百老汇”。布城以街心公园、广场多而著名，并有“雕塑城”之美誉。在布宜诺斯艾利斯以南 40 公里处有一个名为“马德普拉塔”的地方，其在西班牙语中意为“银海”，为世界上颇负盛名的海滨避暑胜地。

布宜诺斯艾利斯是全国最大的文化中心。全市有 40 多所大学，最著名的是 1821 年创办的布宜诺斯艾利斯大学。拉普拉塔河沿岸有各类运动场、海滨浴场、动物园、植物园等，是著名的休憩娱乐区。布宜诺斯艾利斯还是阿根廷的国粹——探戈舞的故乡。

92. 多伦多 安大略湖畔翡翠

多伦多是加拿大安大略省的省会，也是加拿大文化、经济中心，交通要枢，兼全国制造业的中心。它地处世界最大淡水湖群——北美五大湖的中心安大略湖的西北岸，地势平坦，风景宜人。同时有屯河和恒比河穿流其间，船只可由这里经圣劳伦斯河进入大西洋。多伦多是加拿大湖区的重要港口城市。

"多伦多"在印地安语中是"汇集之地"的意思。多伦多早期为印第安人在安大略湖和休伦湖间的一个陆上搬运站，印第安人经常在湖边交易狩猎物品，久而久之，人口大量汇聚，故得此名。1750 年，法国殖民者在这里建贸易港和要塞。18 世纪末，移民在唐河河口地区定居，建立约克镇。1834 年设市，恢复旧名多伦多。19 世纪 50 年代，修建铁路，推动了加拿大中西部的开发，促进了城市经济的发展。1959 年，圣劳伦斯深水航道的开辟，使其有湖港兼具海港的功能，逐步成为全国工商业、金融业和交通运输业的中心。

多伦多是一个水资源丰富的地方，据估测，加拿大拥有全世界淡水的七分之一。加拿大是世界上湖泊最多的国家之一，这些湖泊有大熊湖、大奴湖、休伦湖、安大略湖等，其中最著名的是安大略湖。安大略湖是北美洲五大湖之一，位于美国和加拿大之间，是五大湖中面积最小的，但是蓄水量超过伊利湖，是世界第十四大湖。此湖最大的流入河流是尼亚加拉河，最大的流出河流是圣

劳伦斯河。安大略源自易洛魁语，意思是“美丽之湖”或“闪光之湖”。安大略省正因此湖得名。

多伦多是一座著名的旅游城市，因水而生的都市风光与一些因水而荣的特色景点让人流连忘返。西恩塔是多伦多市的标志，它既是电视发射塔，又是旅游和文化活动胜地。西恩塔矗立在安大略湖畔，塔高553米，是世界最高的无支架建筑物之一。站在塔上，全城风光尽收眼底，天高云淡时，能清晰地看见遥远的尼亚加拉大瀑布的喷雾奇景。尼亚加拉大瀑布是世界知名的三大瀑布之一，是多伦多最著名的水景观。它主要是由伊利湖流出的尼亚加拉河向安大略湖北流的途中因产生约50米的落差而成，景色非常壮观。尼亚加拉河中线是美、加两国国界。美国瀑布旁边有一座彩虹桥，这座桥也根据河中边界而划分，一端属于加拿大，一端属于美国。

多伦多还是一个文化都市，它是加拿大的报业中心。在这里，还能看到长期上演的音乐剧，美术馆、歌剧院和体育运动设施也很完善。它还被誉为继纽约、伦敦之后英语国家中排名第三的演艺中心。安大略湖畔有个音乐花园，是著名大提琴家马友友和设计师朱撒维共同构想设计的，灵感来自马友友演奏的巴哈的《无伴奏大提琴第一组曲》，它把音乐、园林艺术和自然景观融为一体，使游客仿佛置身在幻景中。这里还养育了伟大的国际主义战士白求恩，多伦多市北100多公里处的格雷文赫斯特就是他的故乡。

多伦多对水资源的控制和开发利用全面，主要是水利水电。加拿大的水力发电量为世界之冠。在多伦多，圣劳伦斯河和五大湖一带有很多水力发电站，为当地工业提供了充足的能源。

多伦多与水的关系非常紧密，从城市的产生到发展，以安大略湖为代表的众多湖泊、河流功不可没。如今这些河流、湖泊的职能正发生着变化，从当初的货物运输为主到现在作为吸引游客的旅游资源，它们一直都在为多伦多的繁荣贡献着自己的力量。

93. 华盛顿 波托马克河之鹰

美国首都华盛顿是美国政治、文化、教育的中心，地位重要，被美国人称为"国家的心脏"。正如心脏的跳动离不开源源不断的血液一样，华盛顿也离不开流经它的河流。

华盛顿临近大西洋，位于马里兰州和弗吉尼亚州之间的波托马克河与阿纳卡斯蒂亚河汇流处，小型海轮可达。它的正式名称为"华盛顿・哥伦比亚特区"，是为纪念华盛顿和哥伦布而得名。市区面积约 178 平方公里，特区总面积 6 000 多平方公里，人口约 55 万。

华盛顿原是一片灌木丛生之地，只有一些村舍散落其间，位于 1789 年南北方的天然分界线——波托马克河上，由法国工程师皮埃尔・夏尔・朗方主持总体规划和设计，据说在其规划过程中他还融入了中国的风水说。南北战争期间，华盛顿的发展几乎停滞。战争结束之后，华盛顿市的建设才有了稳步的发展。许多公园、柏油路面、人行道、现代化的下水道等都在这个时期建成。华盛顿重要的景观，如华盛顿纪念碑、林肯纪念堂、史密斯博物馆也都在战后陆续完成。不同民族的融合为华盛顿添色不少，光是看看市内的各式建筑便可略知一二。希腊式的博物馆、维多利亚式的民房、联邦政府机关、巴洛克式教堂均可在同一个街道上出现。这样的多元文化交融也只有纽约才可以比拟。在华盛顿，尽管建筑林立，但你依然可以尽赏无垠的天空而没有阻挡，这是因为在建城之初便立下原则：所有的建筑物均不得超过十三层。

波托马克河是美国中东部最重要的河流，源出阿巴拉契亚山脉西麓，由北布朗奇河同南布朗奇河汇合而成。它先向东而后向东南流，注入大西洋

的切萨皮克湾。从南布朗奇河源头算起，长达590公里，连同三角港约为780公里，流域面积约3.7万平方公里，靠雨雪补给，冬、春高水位，穿越蓝岭山脉而形成了许多瀑布和壮丽的峡谷。波托马克河是全美第二十一大河流，它虽没有密西西比河的浩瀚和文化底蕴，但毕竟流经首都，在城市发展过程中也起到了很大作用。在南北战争时期，它也曾保护过华盛顿，北方政府曾在波托马克河沿岸建立了一连串的碉堡以抵御南方军队。在18世纪末、19世纪初，沿河开凿的运河，曾一度是东岸到内陆的交通动脉。用骡子拉纤的驳船将煤炭运往华盛顿特区，将日用品运回内地。今天，河水依旧东流去，而运河却早已断流荒废了。当年的船闸等水利设施和船闸工居住的小屋，多已残缺不全。几处保存较好的河段，已开辟为国家公园，供人参观游览。

河流见证了华盛顿的政治文明。华盛顿是美国的政治中心，白宫、国会、美国最高法院以及绝大多数政府机构均设在这里。国会大厦建在被称为"国会山"的全城最高点上，它是华盛顿的象征。这座乳白色的建筑有一个圆顶主楼和相互连接的东、西两翼大楼，美国国会参、众两院都在国会大楼里办公。白宫是一座白色大理石圆形建筑，是华盛顿总统之后美国历届总统办公和居住的地方。椭圆形的美国总统办公室设在白宫西厢房内，南窗外边是著名的"玫瑰园"。白宫正楼南面的南草坪是"总统花园"，美国总统常在这里举行欢迎贵宾的仪式。国会大厦和白宫之间有"联邦三角"建筑群，其中包括联邦政府机构以及国家美术馆、国家档案馆、泛美联盟、史密斯国家博物馆和联邦储备大厦等。华盛顿面积最大的建筑物是位于波托马克河河畔的美国国防部——五角大楼。

华盛顿还是美国的文化中心之一。全市有乔治敦大学、华盛顿大学等9所高等院校。创建于1800年的国会图书馆是驰名世界的文化场所，华盛顿歌剧院、美国国家交响乐团、肯尼迪艺术中心等都是美国著名的文化机构。华盛顿还有美国国家艺术博物馆、自然历史博物馆、宇航博物馆等许多著名博物馆。

华盛顿市徽的外形看上去像是一只正在展翅的鹰，图案近景是华盛顿纪念碑，远景为国会山以及波托马克河。

94. 开罗
世界最长河之花

埃及首都开罗坐落在尼罗河三角洲顶点以南约 14 公里处，它不仅是非洲最大的城市，也是世界最古老的城市之一，还是中东的政治中心。公元 969 年，阿拉伯帝国法蒂玛王朝征服埃及，在今天的开罗北面建城定都，命名为“开罗”。在阿拉伯文中，“开罗”的意思是“胜利”。1801 年以后，得利于尼罗河，开罗逐渐发展成为全国的政治、经济和文化中心。

尼罗河是世界第一长河。它源自非洲东北部布隆迪高原，由卡盖拉河、白尼罗河、青尼罗河三条河流汇流而成，流域面积约 335 万平方公里，占非洲大陆面积的九分之一，全长约 6 650 公里。尼罗河纵贯非洲大陆东北部，流经卢旺达、布隆迪、坦桑尼亚、肯尼亚、乌干达、扎伊尔、苏丹、埃塞俄比亚和埃及等 9 个国家，跨越世界上面积最大的撒哈拉沙漠，最后注入地中海，是世界上流经国家最多的国际性河流之一。

尼罗河谷和三角洲是埃及文化的摇篮，也是世界文明的发祥地之一。千百年来，尼罗河每年 6～10 月定期泛滥。8 月河水上涨最高时，淹没了河岸两旁的大片田野，之后人们纷纷迁往高处暂住。10 月以后，洪水消退，留下了肥沃的土壤。在肥沃的土地上，人们栽培棉花、小麦、水稻、椰枣等农作物。在干旱的沙漠地区上开辟了一条“绿色走廊”。5 000 年的文明古国——埃及就是在这里创造出辉煌的埃及文明。现今，埃及 90%以上的人口和绝大部分工农业生产均分布在尼罗河沿岸平原和三角洲地区。埃及人称尼罗河是他们的“生命之母”。

尼罗河在埃及境内长约 1 530 公

里，两岸形成 3～16 公里宽的河谷，到开罗后分成两条支流，注入地中海。这两条支流冲积形成尼罗河三角洲，面积约 2.4 万平方公里，是埃及人口最稠密、最富饶的地区，人口占全国总数的 96%，可耕地占全国耕地的三分之二。尼罗河三角洲看上去就像一枝莲花——“尼罗河之花”，从尼罗河谷地伸展出来，古都开罗就坐落在“莲花”的“花朵”上。

开罗是著名文化古城。在开罗西南 20 公里的地方矗立着古代埃及文明的象征——大金字塔和狮身人面像。狮身人面像已被作为开罗的城市标志。其面部依照古代霍夫拉国王的面貌雕刻而成，人像与狮身结合在一起，象征着帝王的智慧与威严。开罗市内古迹众多，犹如一座阿拉伯建筑艺术博物馆。市内现有 250 多座各具特色的清真寺。众多高大的宣礼塔使开罗成为“千塔之都”。其中最高的开罗塔，高达 187 米。开罗还是伊斯兰文化研究中心，它拥有伊斯兰世界最古老的高等学府——爱资哈尔大学，这座建于公元 972 年的大学是世界各地穆斯林研究伊斯兰教律的场所，被称为“伊斯兰教的最高学府”。

开罗是埃及重要的工业中心，也是埃及的交通枢纽。这里除了新建的多条高速公路与铁路及国际机场外，还有古老的运河与苏伊士运河相连，开罗河在航运中处于中心地位。四五千年前，埃及人就知道掌握洪水的规律和利用两岸肥沃的土地。他们依据尼罗河的涨落规律创造了闻名世界的“太阳历”。蜿蜒的尼罗河是埃及的灵魂，在苍凉荒芜的景色之外，成就了一片温润的土地，也成就了埃及的另类格调——沉重之外的舒淡，沧桑之外的闲适。

95. 科隆

莱茵河上商贸城

历史名城科隆，是德国第四大城市，位于北莱茵—威斯特法伦州。由于坐落在莱茵河的中央位置，它至今都是西欧重要的商贸及工业重地、国际交易及展览中心，更享有“传媒及通讯之城”的美誉。

公元50年，罗马皇帝克劳狄在他的妻子阿格蕾皮娜的要求下，授予她的故乡罗马城市的权力，并将其为名为科隆尼亚·克劳狄·阿拉·阿格里皮内西姆。此名虽长，却道出了城市的历史渊源。科隆尼亚意为罗马人的拓居地，克劳狄是皇帝名，阿拉是乌比尔冲淡落的祭坛，阿格里皮内西姆则是皇后名加词尾变化而来。天长日久，这冗长的市名逐渐简化为“科隆”。在这位皇后的努力下，科隆迎来了自己历史上的第一个兴盛时期。而中世纪则是科隆的又一个盛世，这得益于它的宗教地位以及它优越的地理位置，它的贸易和手工业得到发展，奠定了城市的经济基础。鲁尔煤矿的开发和铁路的修建，带来了科隆的第三次兴盛。铁路和河运共同使科隆成为近代的发达工商业都市。

莱茵河是德国境内最长的河流，也是仅次于伏尔加河和多瑙河的欧洲第三大河，发源于瑞士境内的阿尔卑斯山脉，流经瑞士、德国、法国、荷兰四个国家，在荷兰的鹿特丹附近入北海。“莱茵”，在公元前4世纪居住在这里的凯尔特人的语言中，是“清澈明亮”的意思。

科隆最吸引人的，莫过于莱茵河边的自然风景和大教堂了。为了保护自然风景的原貌，莱茵河河谷段没有架设桥梁，往来两岸都靠轮渡。沿河两岸山坡上遍布葡萄园。莱茵

河两岸种植葡萄的历史可追溯到公元2世纪罗马帝国统治的时期，是罗马人把葡萄种植和酿造葡萄酒的技术带到了这里。在莱茵河两岸散布着无数罗马时代的古堡，它们大部分都高踞在垂直的峭壁上，尽管历代国王、皇帝及地方统治者的连年征战使它显得凋敝破败，但它仍不失昔日傲然的风采。现在，许多修葺一新的城堡已被改为旅馆、青年旅舍和餐厅等。科隆自然风景优美，文化古迹众多，科隆大教堂、古龙香水厂、罗马帝国时期行政公署的残垣断壁和引水渠都是游客流连忘返之地。每年2月的"狂欢节玫瑰大游行"也使科隆这座城市名声大噪。

得益于莱茵河的魅力，科隆还是一座文化名城。无数的诗人、画家、音乐家使科隆充满了神奇的色彩，例如著名的"魔女罗蕾莱"的传说。科隆附近的莱茵河河段弯多水急，往来的船只经常出事，相传这是因为有个美丽的女妖罗蕾莱用她甜美的歌声使得船夫着魔而失去方向。河道旁有披着长发的罗蕾莱的雕像。多年后，经过浪漫主义诗人海涅之笔，罗蕾莱成为了莱茵河浪漫的象征。19世纪英国最伟大的风景画家、印象派先锋威廉·透纳曾于1817年带着素描本从科隆一路画到美因茨。

莱茵河被称为德国的"命运之河"，它对科隆的意义也非同一般。莱茵河不仅要给这座城市提供饮用水，而且还担负着繁重的内河运输、灌溉等任务。二战结束后，随着德国开始大规模的重建工作，大量的取水排污，使莱茵河承受了不能承受之重，不仅河水水质急剧恶化，而且周边生态也遭到几近毁灭性的打击。后来，在多方共同努力下，经过长期的艰苦治理，莱茵河在走过了半个世纪的"先污染，后治理"的弯路之后，如今又成为了一条美丽动人的河流。

96. 伦敦

泰晤士河哺名都

伦敦位于英格兰的东南部，是英国的政治、文化、经济、交通中心，也是英国最大的港口。伦敦还是重要的国际海、空港和金融中心，世界文化艺术名城和旅游胜地。伦敦跨泰晤士河下游两岸，距河口 88 公里，这座已有 2 000 多年历史的古老城市，因为泰晤士河，走过了“因水而生，因水而兴，因水而困，因水而荣”的道路。

泰晤士河是英国最长的河流，也是最重要的水路，又是英国的母亲河。它发源于英格兰西南部的科茨沃尔德山，沿途汇集了英格兰境内的诸多河流，河水从西部流入伦敦市区，下游河面变宽，形成一个宽度约为 29 公里的河口，最后经诺尔岛注入北海。

公元 43 年，古罗马人经泰晤士河进入英格兰，对大不列颠进行了长达 360 年的占领，并在泰晤士河的下游设立渡口，从此兴建了伦敦城。在工业革命过程中，泰晤士河成为伦敦乃至整个欧洲最重要的水运航道之一，同时也承担着为流域内提供工业用水和生活用水的任务，在伦敦经济发展和社会生活中起着重要作用。但其代价也是巨大的，大量的城市生活污水和工业废水未经处理直接排入河内，加之沿岸又堆积了大量垃圾污物，使该河成为伦敦的一条排污明沟。夏季臭气熏天，致使沿河的国会大厦、伦敦钟楼等不得不紧闭门窗。泰晤士河的“受伤”给伦敦带来了很大的困扰，严重制约了伦敦的经济社会发展。自 20 世纪 50 年代起，英国加强了对污染的控制及治理。到 20 世纪 80 年代，泰晤士河又焕发出了勃勃生机。

泰晤士河不算长，但它流经之处，都是英

国文化精华之所在，或许可以说，泰晤士河哺育了灿烂的英格兰文明。伦敦的主要著名建筑物大多分布在泰晤士河两旁，尤其是那些有着上百年，甚至三四百年历史的建筑，如象征胜利意义的纳尔逊海军统帅雕像、葬有众多伟人的威斯敏斯特大教堂、具有文艺复兴风格的圣保罗大教堂、曾经见证过英国历史上黑暗时期的伦敦塔、桥面可以起降的伦敦塔桥等，每一处建筑都称得上是艺术的杰作。这些建筑虽历经沧桑，甚至经历了第二次世界大战的战火，却仍然保持了原来的模样，直至今天还在使用。而泰晤士河的入海口隔北海与欧洲大陆的莱茵河口遥遥相对，向欧洲最富饶的地区打开了一条直接航运的通道。同时，伦敦地处地中海与波罗的海中途，从而成为那一片地区最理想的商业港，这无疑也促进了伦敦的繁荣。

泰晤士河北岸矗立着肯辛顿宫，那是戴安娜王妃生前居住的地方，肯辛顿宫东侧就是著名的威斯敏斯特大教堂，这座教堂建筑宏伟，装饰辉煌，是英国历代国王举行加冕、婚典、葬礼之地。那里还沉睡着许多世界级的名人，如牛顿、达尔文、乔叟、狄更斯、丘吉尔等。威斯敏斯特大教堂是伦敦最壮丽的哥特式建筑。这座建筑高达 280 米，气势不凡，是伦敦的标志建筑物。教堂上有钟楼，即世界闻名的大时钟——大本钟。这些建筑物傍水而建，并与泰晤士河一起成为伦敦的名片。

泰晤士河一直是诗人墨客讴歌吟颂和画家们写生描绘的对象，也是游人访古揽胜的必到之地。再从伦敦溯河西上，伊顿、牛津、享莱、温莎、汉普顿扬、里士满等大小城镇，都各有不朽名胜，都是著名的游览胜地。

97. 莫斯科 美丽的五海之港

莫斯科是俄罗斯的首都，国家政治、经济、科学文化和交通中心，位于俄罗斯欧洲部分的中部，跨莫斯科河及其支流遥扎河。

莫斯科是世界特大都市之一，相当于三个北京市，比伦敦大一倍半，是巴黎的七倍。莫斯科属大陆性气候，其建筑物和俄罗斯其他地方一样，都具有保暖性，墙体厚重，双层玻璃，结构属不通风设计。夏天的最高气温一般在35度以下，秋季凉爽宜人。

莫斯科市作为居民点最早见诸史册是在公元1147年。1156年，莫斯科奠基者尤里·多尔哥鲁基大公在莫斯科修筑了泥木结构的克里姆林城堡。"克里姆林"一词，一说源出希腊语，意为"城堡"或"峭壁"；一说源出早期俄语词"克里姆"，指一种可作建材的针叶树。后来在克里姆林城堡及其周围逐渐形成若干商业、手工业和农业村落。13世纪初成为莫斯科公国的都城。14世纪俄国人以莫斯科为中心，集合周围力量进行反对蒙古贵族统治的斗争，统一了俄国，建立了一个中央集权的封建国家。15世纪到18世纪，莫斯科一直是俄国首都。1917年十月革命以后，莫斯科苏维埃执行委员会成为莫斯科的最高权力机构，直至发展为目前的莫斯科市政府。

莫斯科市名来源于莫斯科河，该河全长约502公里，横穿整个莫斯科市，流经市区部分约80公里，河道宽200米左右，最宽处达1公里。莫斯科虽地

处内陆，但由于莫斯科运河将莫斯科河与伏尔加河相连，可直达海上，加之伏尔加河至顿河运河的通航，莫斯科成为通达波罗的海、白海、黑海、亚速海和里海的“五海之港”，市内 3 个河港年货运量达 2 900 万吨。

在通航的季节，乘游艇漫游莫斯科河是一种享受，沿途主要景点有：克里姆林宫、莫斯科大学、麻雀山（前列宁山）、俄罗斯联邦政府大楼等。关于莫斯科河的语源，说法有三：低湿地（斯拉夫语）、牛渡口（芬兰—乌戈尔语）、密林（卡巴尔达语）。

莫斯科是一座历史名城，以布局严整的克里姆林宫和红场为中心，向四周辐射伸展。克里姆林宫是俄国历代沙皇的宫殿，气势雄伟，举世闻名，原苏联最高苏维埃代表大会和原苏联共产党代表大会都在克里姆林宫举行。克里姆林宫城堡内有设计精美的教堂、宫殿、钟塔、塔楼。在克里姆林宫的中心教堂广场，有巍峨壮观的圣母升天大教堂，有凝重端庄的报喜教堂，有容纳彼得大帝以前莫斯科历代帝王墓地的天使大教堂。克里姆林宫东侧是国家仪典中心——红场，红场内有列宁墓。园林路环以内主要为政府机构和商业区，大部分国家机关和主要饭店、商店、剧场、博物馆、美术馆、图书馆以及原经互会总部均建于此。其他名胜有诺沃德维奇女隐修院教堂钟楼、前苏联科学院主席团驻地、列宁中央体育馆、乌克兰饭店等。

莫斯科人一向注重文化修养，他们拥有数所世界闻名的剧院。目前莫斯科有 72 个剧院、109 个电影院、31 个音乐厅、4 000 多个图书馆、78 个博物馆、142 个展览馆。莫斯科大剧院云集着世界顶级的芭蕾、歌剧、话剧等方面的艺术家，每年还为世界各地培养和输送着大量的艺术人才。到莫斯科大剧院看戏成为很多俄罗斯人终生的回忆和骄傲。柴科夫斯基音乐会堂也成为每年世界音乐精英荟萃的殿堂。

98. 圣彼得堡

北方风情威尼斯

1703年,彼得大帝在波罗的海之滨、从瑞典人手中夺得的土地上建立了一个全新的城市,并把它命名为圣彼得堡——一个带有鲜明的日耳曼语系特征的名字,以此显示俄国向西方敞开大门的决心,至此,俄国终于获得了一个连接西方的出海口和一个面向西方的窗户。圣彼得堡的名称来自三个不同的起源:“圣”——源自拉丁文,意味着“神圣的”;“彼得”——使徒之名,在希腊语中解释为“石头”;“堡”——在德语或者荷兰语中意为“城市”。

1712年,俄国首都从莫斯科迁至圣彼得堡。此后一直到1918年3月的200余年的时间里,圣彼得堡一直是俄国的首都。第一次世界大战爆发后,俄国在1914年去掉了首都名称中的日耳曼语系色彩,将其更名为彼得格勒。1924年1月列宁逝世后改称列宁格勒。1991年12月苏联解体后,列宁格勒又恢复了它的历史名称——圣彼得堡。

涅瓦河是俄罗斯西北部的一条河流,由拉多加湖流经圣彼德堡到芬兰湾。以河水流量来计算,涅瓦河是欧洲的第三大河流,仅在伏尔加河和多瑙河之后。涅瓦河长约74公里,其中约有28公里在圣彼得堡境内,其余的则在列宁格勒州境内。其由拉多加湖向西南流至其最南端,然后再转向西北流至芬兰湾。平均宽度400～600米,最大宽度约1 200米,最大深度24米。涅瓦河流域包括拉多加湖和奥涅加湖,分布于俄罗斯西北部和芬兰南部等。

在圣彼得堡,几乎每一幢建筑物都依水而立,桥也特别多,700多座桥梁把各个岛屿连接了起来。这些桥梁大都是18世纪的杰作,其实用性、艺术性堪与威尼斯的桥媲美。从建筑材料上看,有木桥、石桥、铁桥、混凝土桥、铝合金桥;从结构造

型上看，有拱式、支柱式、悬挂式、悬臂式、架构式。桥的颜色亦丰富多彩，有红桥、绿桥、黄桥、蓝桥、白桥、黑桥。粼粼碧水与两岸典雅的建筑相映成趣，古风古韵的大小桥梁令这座彼得大帝一砖一瓦督造的名城和列宁点燃十月革命火炬的俄罗斯北方红都熠熠生辉。

圣彼得堡还是俄罗斯的重要海港，其主要港口位于城市西南部，河流两岸都建有花岗石的堤岸，港区筑有防护堤，人工水道与科特林岛上的喀琅施塔得军港相连。港区主要进口金属管道、工业装备、化工品、食糖、棉花和水果，出口机器、木材、煤炭、钾盐和黄铁矿。客运主要集中在夏季(经波罗的海至英国)。小型海轮可沿涅瓦河到达拉多加湖，并在此与俄罗斯欧洲地区内陆水系相连。

圣彼得堡也是一座文化名城。这里有彼得大帝时代建起的科学院，有40多所高等院校和400多个科研机构。其中著名的有1724年成立的国立圣彼得堡大学、国立圣彼得堡技术大学、北极和南极研究所以及永冻土研究所。市内建有50多所博物馆，被誉为博物馆城，著名的俄罗斯博物馆便于1895年创建于此。城内的俄罗斯古建筑群久负盛名，属于18世纪早期的主要建筑群有：彼得保罗要塞及彼得保罗大教堂(彼得大帝的葬地)、海军部岛上彼得大帝的夏花园及园中的夏宫等。这些建筑群具有俄国早期巴洛克式建筑的特征：古朴、雄伟、庄重。18世纪后期的建筑有斯莫尔尼宫、冬宫、塔弗列奇宫、阿尼奇科夫宫(十月革命后改名为少年宫)。19世纪初的主要建筑有：宏伟的喀山大教堂、高达101米的伊萨克基辅大教堂等。许多俄国著名诗人和作家，如普希金、莱蒙托夫、高尔基等人都曾在此生活和创作。

圣彼得堡从建立至今已历经了三个世纪，这座300岁的城市，在世界名城中实在是显得太年轻了。然而，年轻的圣彼得堡又无疑是出众的，这不仅是因为它的美丽，因为它的“白夜”和冬宫，更因为这座城市深厚的历史积淀、灿烂而辉煌的文化传统以及独特的精神气质。

99. 威尼斯 亚得里亚海明珠

威尼斯，位于意大利东北部亚得里亚海岸，是一个令人心醉神迷、无限遐想的地方，古老而又浪漫，素有“亚得里亚海明珠”之称。威尼斯的历史相传始于公元453年。当时威尼斯的农民和渔民为逃避酷嗜刀兵的游牧民族，转而避往亚德里亚海中的这个小岛。威尼斯的外形像海豚，城市面积不到7.8平方公里，却由多达118个小岛组成，177条运河如蛛网一样密布其间，这些小岛和运河又由大约400座桥相连。整个城市只靠一条长堤与意大利大陆半岛相连。

威尼斯是世界著名的水城，它的美也是由水和桥构成的。在威尼斯流淌着一条长约4公里、宽30～60米的主运河，被誉为威尼斯的水上“香榭丽舍”大道。在河道的两边，散布着各式各样的古老建筑，既有洛可可式的宫殿，也有摩尔式的住宅，当然也少不了众多富丽堂皇的巴洛克和哥特式风格的教堂。文艺复兴时期，许多伟大的艺术家都在这些教堂里留下了不朽的壁画和油画作品，至今仍吸引着世界各地的游客和艺术家。此外，遍布运河两岸的店铺、市场以及银行等，也给这座水上大都市增添了无穷的活力。

威尼斯有400多座桥，这些桥的造型千姿百态，风格各异。有的如游龙，有的似飞虹，有的庄重，有的小巧。其中最著名的是利亚德桥，其造型为单孔拱桥，用大理石砌成，建于1592年前后，桥长48米，宽22米。它曾出现在莎士比亚的经典喜剧《威尼斯商人》中。威尼斯还有毁于大火又获得重生的凤凰歌剧院，徐志摩笔下忧伤的叹息桥，伟大的文艺复兴和拜占庭式建筑，世界上最美的广场之一——圣马可广场，以及美得令人窒息的回廊。

威尼斯水城有着独特的风光。有些水道比北京的小胡同还要狭窄，两

条船不能并开，只能单行。水道两旁都是古老的房屋。威尼斯不仅风光奇特，而且还是一座底蕴深厚的文化名城。早在文艺复兴时期，威尼斯画派就独树一帜，乔尔乔涅、提香、丁托列托、委罗内塞等都是画坛著名大师；威尼斯在意大利歌剧艺术发展史中占有重要地位；德国音乐大师理查德·瓦格纳在这里与世长辞……城市古迹众多，有120座哥特式、文艺复兴式、巴洛克式教堂，120座钟楼，64座男女修道院，40多座宫殿和众多的海滨浴场。歌德与拜伦都曾对威尼斯城赞扬备至，拿破仑则称之为“举世罕见的奇城”。

威尼斯最盛大的节日也与水有关，每年9月份第一个星期日的下午，赛船节就会在贯穿威尼斯城的大运河上开赛。赛船节的起点设在著名的圣马可广场附近的码头，在没有长堤连接威尼斯与大陆之前，这里就是威尼斯的门户。比赛的终点则在火车站不远处。这正好是围绕穿城而过的大运河一周。参加比赛的船只，除了众所周知的贡多拉之外，还有其他大大小小不同种类的船只。在威尼斯，划船可不仅仅是男人的专利，赛船节上也有专门为女选手设立的比赛项目。为了锻炼和鼓励年轻人，比赛也设置了专属他们的奖项。

关于威尼斯赛船节的来历，据说早在13世纪下半叶，赛船在依水而生的威尼斯已经普遍存在。到了15世纪时，威尼斯贵族女子卡泰丽娜·科尔纳罗与塞浦路斯、耶路撒冷和亚美尼亚国王詹姆斯二世结婚，并在后来成为塞浦路斯女王。1489年，科尔纳罗回到威尼斯。为了欢迎她，船只在大运河两岸排开，并在仪式结束后展开了竞赛。如今，历史已成过往，赛船这种活动形式却一直延续了下来。在今天的比赛中，仍有人模仿当年的情形，穿上华美的古代服饰，坐在贡多拉里泛舟于大运河上。

这个城市昔日的光荣与梦想通过保存异常完好的建筑延续到今天，它独特的气氛令人感到如受魔法，凡是来到威尼斯的游客都会恋恋不舍，乐而忘返。

100. 维也纳 多瑙河畔的女神

维也纳是奥地利的首都，也是奥地利最大的城市，同时还是世界有名的音乐之都和第三个联合国城市，人口160多万，绝大多数人信奉天主教，通用德语。维也纳位于奥地利东北部阿尔卑斯山北麓维也纳盆地之中，三面环山，蓝色的多瑙河穿城而过，四周环绕着著名的维也纳森林。在维也纳，典型的欧洲中世纪建筑与现代化高楼大厦交相辉映，隐现在青山绿水之间。

维也纳是一座历史悠久的古城。早在公元1世纪，罗马人曾在此建立城堡。1137年为奥地利公国首邑。13世纪末，随着哈布斯堡皇族的兴起，发展迅速，宏伟的哥特式建筑如雨后春笋拔地而起。15世纪以后，它成为神圣罗马帝国的首都和欧洲的经济中心。18世纪，玛丽亚·铁列西娅母子当政期间热衷于改革，打击教会势力，此举推动了社会进步，同时带来艺术的繁荣，使维也纳逐渐成为欧洲古典音乐的中心，获得了“音乐城”的美名。

多瑙河是一条著名的国际河流，是世界上流经国家最多的河流之一。它发源于德国西南部黑林山东麓海拔679米的地方，沿途汇聚了300多条大小支流，自西向东流经奥地利、斯洛伐克、匈牙利、克罗地亚、塞黑、保加利亚、罗马尼亚、乌克兰等9个国家后，在罗马尼亚的利纳附近流入黑海。多瑙河全长2 860公里，是欧洲第二大河。它像一条蓝色的玉带蜿蜒在欧洲的大地上，被人们深情地赞美为“蓝色的多瑙河”或“明镜的多瑙河”。多瑙河自古就是东、南欧的一条重要商道，与沿岸人民的生活息息相关。

维也纳有“多瑙河的女神”之称。这里环境优美，景色怡人。登上城西的阿尔卑斯山顶，林海起伏的维也纳森林尽收眼底；城东面对多瑙河盆地，可远眺喀尔巴阡山的绿色峰尖；北

面宽阔的草地宛如一块特大绿色绒毡，碧波粼粼的多瑙河蜿蜒穿流其间。房屋顺山势而建，重楼连宇，层次分明。登高远望，各种风格的教堂建筑给这青山碧水的城市蒙上一层古老庄重的色彩。市内街道呈辐射环状，两旁林荫蔽日的环形大道以内为内城。内城多为卵石街道，纵横交错，很少有高层房屋，多为巴洛克式、哥特式和罗马式建筑。中世纪的圣斯特凡大教堂和双塔教堂的尖顶耸入云端，双塔教堂的南塔高 138 米，可俯瞰全市。环形大道两旁为博物馆、市政厅、国会、大学和国家歌剧院等重要建筑。

维也纳的名字始终是和音乐连在一起的。许多音乐大师，如海顿、莫扎特、贝多芬、舒伯特、约翰·斯特劳斯父子、格留克和勃拉姆斯都曾在此度过他们音乐生涯中最光辉的时光。海顿的《皇帝四重奏》，莫扎特的《费加罗的婚礼》，贝多芬的《命运交响曲》、《田园交响曲》、《月光奏鸣曲》、《英雄交响曲》，舒伯特的《天鹅之歌》、《冬之旅》，约翰·施特劳斯的《蓝色多瑙河》、《维也纳森林的故事》等著名乐曲均诞生于此。许多公园和广场上矗立着他们的雕像，不少街道、礼堂、会议大厅都以这些音乐家的名字命名。音乐家的故居和墓地常年为人们参观和凭吊。作为音乐名城，维也纳拥有众多的歌剧院、电影院，各式各样的音乐厅遍布全城。其中最显赫的维也纳国家歌剧院建于 1869 年，是一座古罗马式建筑。这里曾经首演过莫扎特和贝多芬的作品，19 世纪欧洲所有著名歌剧作家的作品都在这里上演过。每年这里都有音乐比赛，是全世界的歌剧中心。

维也纳地处欧洲的中心，又是中立国的首都，这种优越的政治、地理地位使维也纳担任了“东西交换站”的角色。因此，这里的国际机构越来越多。联合国顺应潮流，于 1974 年通过决议，确定维也纳为第三个“联合国城”，是许多联合国机构的集中地。

奥地利号称“欧洲的心脏”，维也纳则是“心脏的心脏”，而多瑙河则是维持心脏跳动的重要血脉。

参考文献

1. 付景传主编.世界名水.长春:长春出版社,2006.
2. 韩欣主编.中国名水.北京:东方出版社,2005.
3. 中国最美的100个地方编委会编.中国最美的100个地方.长春:吉林出版社集团有限责任公司,2007.
4. 世界最美的100个地方编委会编.世界最美的100个地方.长春:吉林出版社集团有限责任公司,2007.
5. 中国水利百科全书编委会.中国水利百科全书.北京:中国水利水电出版社,2006.

「后记」

为了弘扬中国传统文化，挖掘发展中华水文化，河海大学结合自身的办学特色，在开展水文化研究的基础上，组织编写了《水文化教育丛书》。丛书的根本要旨，在于通过水文化知识的普及和教育，提高人们对水的战略地位的认识，以带动全社会水意识的觉醒和提升；教育人们树立科学发展的水利观，以增强对水的忧患意识；培养人们爱水、节水、护水、亲水的情怀，以养成良好的水文化行为习惯；帮助人们提升水利工程建设中的文化自觉性，以确立人水和谐的科学发展理念。

《丛书》分为10个分册，分别为：《100条江河湖泊》，主编：吴胜兴，副主编：顾圣平、贺军；《100座城市与水》，主编：郑大俊，副主编：刘兴平、钱恂熊；《100项水工程》，主编：吴胜兴，副主编：沈长松、孙学智；《100例水灾害》，主编：颜素珍，副主编：唐德善、汤鸣鸿；《100位水利名人》，主编：王如高，副主编：刘春田、陈家洋；《100首水歌曲》，主编：蔡正林，副主编：刘兴平、沈俐；《100种水用具》，主编：王培君，副主编：戴玉珍、贺杨夏子；《100处水景观》，主编：蒲晓东，副主编：张彦德、潘云涛；《100篇咏水诗文》，主编：尉天骄，副主编：林一顺；《100个水传说》，主编：张建民，副主编：莫小曼、郑如鑫。

《丛书》封面上"水文化"三个字由水利部原副部长敬正书同志题写。在《丛书》的编写过程中，为了充分反映不同时期有关水文化的经典之作，各分册的编写人员通过多种途径，参阅和收集了大量的文献资料。这些文献资料对于进一步传播、发展和弘扬水文化，进一步提升人们的水文化素养具有重要价值。在此，我们对这些文献资料的奉献者表示衷心的感谢。

与此同时，我们还要说明的是，《丛书》各分册选列的是主要参考文献，未能详尽所有文献，在选引中也会有遗漏不全之处，亦敬请各位作者谅解。